Understanding **Hospital Medical Records** and **Diagnostic Tests**

병원 의무기록과 진단검사의 이해

저자

김건남 · 김정선 · 문준동

박시은 · 최미영 · 탁양주

병원 의무기록과 진단검사의 이해

첫째판 인쇄 | 2022년 9월 19일
첫째판 발행 | 2022년 10월 6일

지 은 이 김건남 김정선 문준동 박시은 최미영 탁양주
발 행 인 장주연
출판기획 최준호
출판편집 이다영
표지디자인 김재욱
편집디자인 강미란
일 러 스 트 김경열
발 행 처 군자출판사(주)
등록 제4-139호(1991. 6. 24)
본사 (10881) 파주출판단지 경기도 파주시 회동길 338(서패동 474-1)
전화 (031) 943-1888 팩스 (031) 955-9545
www.koonja.co.kr

* 파본은 교환하여 드립니다.
* 검인은 저자와의 합의하에 생략합니다.

ISBN 979-11-5955-919-8

정가 13,000원

AUTHORS

저 자 소 개

김건남 전남대학교 병원

김정선 건양대학교

문준동 국립공주대학교

박시은 동강대학교

최미영 강원대학교

탁양주 국립한국교통대학교

PREFACE

머 리 말

의무기록 작성 및 진단검사의 해석은 고도의 의사결정능력을 수반하는 행위로서 의사를 포함하여 환자 처치에 참여하는 다른 보건의료직종을 대상으로도 적용되는데, 이는 임상가(Clinician)처럼 훈련되어야 할 역량 요소를 가지고 있기 때문입니다.

임상가의 가장 중요한 특징은 의사결정을 한다는 것입니다. 위급한 처치의 우선순위를 결정하고 증상과 징후, 병력정보에 기반하여 감별해야 할 질병 또는 손상들을 좁혀가며, 이를 위한 진단검사는 어떤 것들이 필요하고 그, 결과를 토대로 다시 어떤 진단검사와 처치가 추가적으로 필요한지, 처치를 통해 의도했던 목적이 달성되었는지 등 침상 옆의 환자를 두고 이루어지는 복잡한 일련의 의사결정 과정은 그 무엇보다 중요하고, 교육과 훈련에서도 가장 중요하게 다루어져야 합니다. 이 과정들은 모두 의무기록에 녹아 있습니다.

하지만 의학을 제외한 분야에서 이러한 훈련을 목적으로 하는 교과가 드물며, 마땅한 교재도 없는 실정입니다. 이 교육이 선행되지 않고, 병원 임상실습에 참여하게 되면 단순 술기나 장비의 사용, 병원 시스템의 운영 등 언제라도 어렵지 않게 익힐 수 있는 단순 지식과 술기의 습득을 중심으로 실습이 제한되게 됩니다.

실습 교육의 경험이 이렇게 제한되는 이유 중 하나는 처음 접하게 되는 의무기록과 각종 진단검사에 대한 낯섦이 크다고 봅니다. 본 교재는 저자가 학생들의 임상 실습 전 오리엔테이션용으로 사용하던 교육용 자료를 보완해서 만들었습니다. 역할은 달라도 접하는 환자와 그 정보는 하나이므로, 특정 보건의료직군의 영역에 한정하지 않고, 기초적 수준에서 알아야 할 정보를 되도록 많이 담으려 했습니다. 조금 어렵게 느껴질 위험이 있어도 큰 체계 하의 구성 요소를 임의로 빼기가 어려웠음을 밝힙니다.

병원 임상실습이 이 교재와 함께 더 의미 있는 경험이 되었으면 합니다.

2022년 8월
저자 대표 문 준동

병원 **의무기록**과
진단검사의 이해

CONTENTS

차 례

PART 1 의무기록

PART 2 임상병리검사

PART 3 영상 검사

PART

1

의무기록

Medical Recording

1. 차트 리뷰
2. 입원기록
3. 경과기록
4. 입원 오더
5. 실전 의무기록

- 의무기록(medical recording)은 교육이 활발히 이루어지는 분야는 아니다. 좋은 본보기를 찾기 어렵고, 임상실습을 시작하는 여러분에게는 아마 첫 장애물이 될 수 있다.
- 의무기록도 고유의 내적 체계를 가지고 있으며 학습과 훈련이 요구되는데, 크게 전통적 의무기록(conventional medical recording)과 문제중심기록(Problem Oriented Medical Record, POMR) 두 가지 방법이 있다. 두 가지는 서로 장단점을 나누어 가지고 있다. 여기서는 전통적 의무기록법에 대해 주로 소개하며, 경과기록지 부분에서 문제중심기록에 대해 일부분을 다룬다.
- 초보자가 병력청취(history taking)와 신체검진(physical examination)을 통해서 얻은 정보를 제대로 기술하기 위해서는 다양하고 적절한 예를 틈틈이 보아두고, 자신이 관찰한 환자에 대해 작성한 의무기록을 병원의 실제 의무기록지와 대조해보는 것과 교과서의 해당 부분을 숙독하며 놓친 정보는 없는지 대조해보는 훈련이 도움이 될 것이다.

1 차트 리뷰

1) 차트의 구성과 배치

전자의무기록(Electronic Medical Record, EMR)은 프로그램의 종류에 따라 차이가 있으나, 일반적으로 아래와 같이 구성되어 있다. 프로그램화면에서 그룹 메뉴 등을 클릭해서 해당 차트 탭을 열어 열람하고 기록할 수 있다.

배열은 시간의 역순, 즉 최근의 기록이 앞에 나오도록 정리되어 있다. 보는 차례에 맞추어, 빠른 시간 내에 효율적으로 볼 수 있게 연습이 필요하다. 의무기록에서 활력징후가 가장 눈에 띄는 곳에 먼저 위치함을 주목하자.

❶ TPR과 활력징후

– TPR : 체온 – 맥박수 – 호흡수

– (TPR을 제외한) 활력징후 : BP · SaO_2(또는 SpO_2) · $EtCO_2$

– 기타 : Body Weight · GCS · CVP · PCWP 등

** TPR: Temperature – Pulse rate – Respiratory rate, BP: Blood Pressure, SaO_2 : Arterial Oxygen Saturation, SpO_2: Oxygen Saturation as measured by Pulse Oximeter, $EtCO_2$: End-tidal Carbon Dioxide, GCS: Glasgow Coma Scale, CVP: Central Venous Pressure, PCWP: Pulmonary Capillary Wedge Pressure*

❷ 수분섭취/배설량 노트(Intake & Output Note, I/O Note)

** I/O Note는 기관에 따라 응급실에서는 작성을 하지 않는 경우도 많다.*

❸ 약물 투여 및 처치기록(Infusion, medication & Treatment record)

❹ 간호 정보조사와 경과기록(Nurses admission & Progress note)

❺ 의사 진료지시/오더(Orders for treatment)

❻ 의사 입원 기록(Admission note)

❼ 의사 경과 기록(Progress note)

❽ 임상병리 및 방사선영상검사결과(Laboratory & Radiologic data)

** 방사선 검사 영상은 의료영상저장전송시스템(Picture Archiving Communication System, PACS)이라는 EMR과 연동되는 별도의 프로그램으로 볼 수 있다.*

** 처음 보는 환자일 경우 ❻ 의사 입원 기록(admission note) ❼ 의사 경과 기록(progress note) 그리고 ❹ 간호 정보조사와 경과기록(nurses admission & progress note)를 먼저 살펴본 후 ❶ TPR과 활력징후부터 확인해 나간다.*

2) TPR 차트 보는 법

과거 종이로 된 의무기록지에는 TPR시트가 맨 앞에 배치되고, 차트의 덮개가 아크릴판으로 투명하여 차트를 들추어 보지 않아도 TPR시트를 볼

수 있게 되어 있었다. EMR도 마찬가지로 대부분 TPR시트가 눈에 잘 띄게 배치되어 있다. 차트를 볼 때는 의학적 중요성이 큰 것부터 작은 차례로 보아야 한다. 활력징후가 불안정하면 검사결과가 좋아도 아무런 소용이 없다는 것을 꼭 인지하길 바란다.

(1) TPR의 정상 범위

가. 체온(Body Temperature, BT) : 36.5±0.7℃ (35.8–37.2℃)
나. 맥박수(Pulse Rate, PR) : 60–100회/분
다. 호흡수(Respiratory Rate, RR) : 12–20회/분

(2) TPR 그래프

대개 위에서부터 PR-BT-RR 순서로(또는 BT-PR-RR) 되어 있다. PR은 보통 빨간색 그래프로 기록한다. 또한 수축기혈압, 이완기혈압도 통상적으로 TPR 그래프에 같이 기록한다.

작은 눈금 한 칸은 'PR: 4회, BT: 0.2℃, RR: 2회' 이런 방식으로 스케일(scale)이 정해져 있으며, 해당 기관에서 사용하는 스케일을 직접 확인해보시기 바란다.

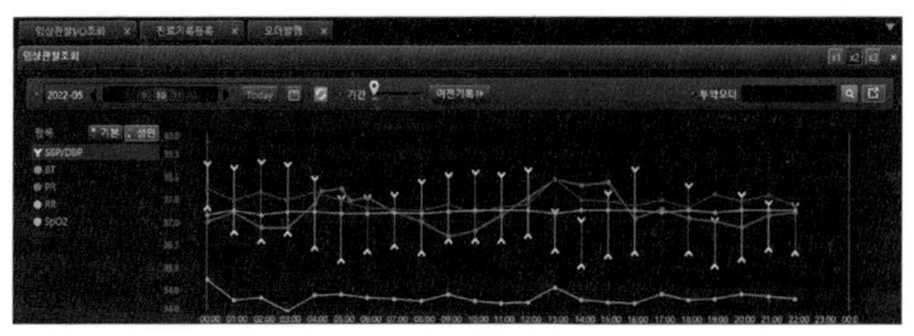

그림 1-1 TPR 그래프

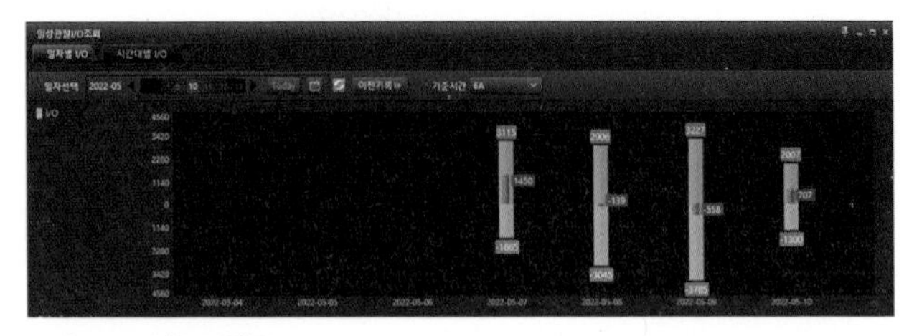

그림 1-2 I/O 그래프

그림 1-3 경과기록, 의사오더, 검사결과

2 입원기록

1) 입원기록(Admission Note)이란?

입원 시 기록으로, 환자를 처음 면담하여 얻은 병력청취(Hx)와 신체검진 소견(P/Ex)을 일정한 내용과 형식으로 정리한 것이다.

** Hx: History Taking, P/Ex: Physical Examination*

2) 형식

❶ 환자 신원(Identifying data) : 이름 · 나이 · 성별 · 직업 · 내원수단

❷ 입원 일시(Admission date / date of Hx & P/Ex)

❸ 병력 청취

가. 주호소(Chief Complaint, C.C)

나. 현병력(Present illness, P.I)

다. 과거병력(Past Medical History, PMHx)

라. 사회력(Social Hx, SHx)

마. 가족력(Familial History, FHx)

바. 계통적 문진(Review of System, ROS)

❹ 신체검진 소견(P/Ex)

❺ 추정진단(Impression) : 한 개 이상이 붙는 것이 올바르다.

여기까지가 보통 병원에서 볼 수 있는 Admission note의 형식이다. 교육적인 목적에서 의사결정(Decision-Making) 능력의 훈련을 위해 추가적으로 아래 사항을 확인한다.

❻ 진단계획(Diagnostic Plan)

❼ 치료계획(Therapeutic Plan)

추가로 진단 검사를 통해 Impression이 더 좁혀지거나 Impression이 아닌 진단명 Diagnosis이 붙을 수 있고, 환자의 문제점들이 추가로 정리될 수 있다.

❽ 진단명(Diagnosis)

❾ 문제 목록(Problem List)

3) 주호소(Chief complain, C.C)의 기술방법

환자를 평가하고 처치하는 시작은 주호소에 대한 질문으로부터 시작한다. 주호소를 명확히 잡아내고 기술하는 것은 이후 병력 청취와 계통적 문진, 신체검진 그리고 추정진단이 적절히 이어지는가를 결정하기 때문에 매우 중요하다. 여기서는 증상학적 관점에서 주호소를 얻고 이를 적절히 기술하는 방법에 대해서만 살펴보도록 하겠다.

C.C의 기술은 모호하지 않게 정확하고 의미를 가지고 있어야 하며, P.I는 C.C의 발생 전후 상황과 어떤 질환을 의심할 수 있는지 병력만으로 의심할 수 있는 정보가 일목요연하게 정리되어야 한다. 아래 입원노트 사례는 C.C와 P.I만으로도 관상동맥증후군과 혈역학적 불안정을 야기한 부정맥의 동반 가능성을 의심할 수 있다.

(1) C.C의 특징을 현병력에서 추가로 기술할 수 있다.

<흉막통 Pleuritic chest pain>을 예로 들면,

❶ Unilateral, Intermittent
❷ Sharp · Knifelike · Lancinating
❸ Superficial, felt over involved area
❹ Aggravated by cough, deep respiration, other movement of thorax
❺ Associated with splinting of chest wall with rapid, shallow breathing

** Splinting : pain때문에 chest wall에 부목을 댄 것처럼 딱딱해짐*

여러 각도에서 기술됨으로써 의무기록만으로 pleuritic chest pain임을 파악할 수 있게 된다. 그 중 가장 핵심적인 통증양상만 요약하면, 날카로운 통증이라는 것과 기침 그리고 숨을 크게 쉴 때마다 통증이 심해진다는 점이다 .

통증은 크게 체성 통증(somatic pain)과 내장 통증(visceral pain)이 있다. 내장통증은 통증 신호가 전달되는 신경의 차이에 의해 환자가 통증의 위치를 명확히 말할 수 있는 날카로운 양상의 통증이며, 체성통증은 위치를 특정하기 어려운, 둔한 느낌의 통증이다.

심근 경색 등으로 인한 통증은 체성 통증이기 때문에, 위 기술은 심근 기원의 통증과 거리가 멀다. 내장 통증을 유발하는 곳 중 기침, 숨 쉴 때마다 통증이 심해지는 것으로 보아 흉막에서 기원한 통증일 가능성이 높다. 물론 흉곽의 근육 손상 또는 늑연골 접합부(Costochondral junction)의 염증으로 발생한 통증도 비슷한 통증양상을 보인다.

(2) C.C의 특징을 기술하는 용어들

<흉통 Chest pain>을 예로 들면,

❶ 위치와 방사(Location & Radiation)

가. Substernal / Substernal&Epigastric / Lt · Rt ant.*chest / 6th–11th ICS* / Lt. parasternal area 등

** ant. : anterior, ICS : Intercostal space*

나. Superficial / Deep

다. Sharply localized / localized to substernal region / Diffuse

라. Radiating to Lt arm / to mid–back

❷ 통증의 질(Quality)

가. Oppressive · Constrictive · Squeezing : **"짓누르듯 · 압박하거나 · 조여드는 느낌입니까?"**

나. Tearing · Ripping : **"찢어지는 듯한 통증입니까?"**

다. Crushing, Sharp & Pleuritic : Pleuritic pain quality는 **"칼로 찌르듯이 쿡쿡 쑤십니까?"**, **"통증이 숨을 들이마실 때마다 심해집니까?"**라고 물어보면 알 수 있다. Pleuritic pain을 angina pain으로 잘못 파악하는 실수는, pain quality를 예를 들어 열거하면서 물어보면 피할 수 있다.

라. Sharp, Stabbing

마. Dull · Vague : **"무지근하거나 · 뻐근합니까?"**

❸ 통증의 정도(Severity) : mild/ moderate/ severe · very severe · intense

Pain severity는 환자와 평가하는 사람에 따라 주관적이므로 객관화하는 방법은

가. 환자의 표정 관찰

나. 진통제 복용 여부 질문

다. 다음과 같은 질문 통해 일상생활 장애 정도를 평가

"참을만하세요?", "일상생활을 하기 힘들 정도로 아프세요?", "운동을 못하실 정도입니까?"

❹ 통증의 시간(Timing) : 발생시간, 지속시간, 발생 주기

가. Onset : sudden onset / gradual onset

나. Duration : e.g.) Angina Pectoris (협심증) < 5 min / AMI (급성심근경색) > 30 min

다. Frequency : Persistent · Constant / 3–4회/week · 4–5회/day

❺ 동반 증상(Associated Symptom)

e.g.) Pulmonary Embolism : Dyspnea · Hemoptysis etc.

❻ 악화 또는 완화 인자(Aggravating/Relieving factor)

e.g.) Acute pericarditis

– Aggravated by cough / deep inspiration

– Relieved by leaning forward

Angina pectoris – Relieved by Resting, Nitroglycerin (NTG)

4) 주의할 점

(1) 가장 중요한 점은 Hx & P/Ex를 통해서 어떤 추정진단(Impression)을 가지게 되었는지 그 과정이다.

❶ 가능한 많은 Impression을 잡아야 한다.

병원에서 Impression은 딱 한 가지인 경우를 많이 보게 된다. 하지만 이것은 좋은 진단 방법이 아니다. 언제나 교과서적인 방법에 따라 가능한 모든 경우를 생각하고, 하나씩 배제(Rule out, R/O)해 가는 것이(Exclusive diagnosis) 한 가지 Impression을 가지고 진단해가는 방법(Inclusive diagnosis)보다 좋은 방법으로 권장되고 있다. 응급질환은 더더욱 그렇다. 가장 위중한 질환부터 배제를 해나가는 방법을 익히도록 하자.

❷ Hx와 P/Ex만으로 Impression을 잡을 수 있어야 한다.

거꾸로 이야기하면 impression이 타당하게 잡혔다는 것을 Hx와 P/Ex에 의해서 증명할 수 있어야 한다. 즉, 혈액검사나 기타 특수 검사 없이 추정진단할 수 있는 능력을 키워야 한다.

❸ 입원 시 검사(Admission study)

위의 원칙과는 다르게 특별한 증상이나 신체검진 소견이 뚜렷하지 않은 경우도 있으므로 이때는 입원 시 검사를 통해 가능한 Impression을 좁히거나 진단명을 붙일 수도 있다.

진단 기술의 발달에 힘입어 입원 시 검사에 의존하는 예가 점점 증가하지만, 현장에서 주로 환자를 보는 경우에는 Hx, P/Ex가 더욱더 중요하다는 것을 명심해야 한다.

(2) 입원기록을 보면서 배울 수 있는 것 중에서 가장 값진 것은 진단적 접근방법이다. 그것은 감별진단(Differential Diagnosis, DDx) 과정에서 가장 극적으로 나타난다.

예를 들어 실신(Syncope)을 주호소로 내원한 환자에게서, 가장 위중한 경우인 뇌혈관 질환이나 심혈관 질환 또는 부정맥 등에 의한 것이 아닌지 감별진단과정이 필요하고, 배제(R/O)를 했으면 왜 배제(R/O)를 했는지 그 이유가 기록되어야 한다. "이러이러해서 심장이나 뇌의 문제보다는 미주신경성 실신의 가능성이 높고, 따라서 큰 위험은 없다고 판단된다." 이러한 능력이 임상가(Clinician)와 기술자(Technician)를 구별 짓는 가장 중요한 능력이다.

(3) 정리(Summary), 문제 목록(Problem List)의 의의

❶ Summary는 Hx, P/Ex, Lab에서 Positive(+)소견과 Negative(−)소견을 정리한 목록으로, 최종 진단을 붙이는데 필수적이므로 정리해보는 습관을 가져보도록 하자.

❷ 주의할 것은 Negative (−)소견도 유의미한 것이 있다. 예를 들어, 급성 관상동맥증후군 환자가 흉통이 사라졌다는지, 호흡곤란이 없다는지 하는 (−)소견은 중요하다.

❸ Problem List는 Summary에서 한걸음 더 나아가 환자의 현재 치료대

상이 되는 문제점의 목록으로 환자를 전인적으로 파악하고 진단, 치료에 임할 수 있는 출발점이 된다.

3 경과기록

1) 경과기록(Progress Note)이란?

경과기록이란, 진료해 나가는 동안 환자의 문제들(Problems)에 관하여
❶ 새롭게 얻은 정보(Information)와 검사결과(Data)를 기록하고
❷ 분석 · 평가하여 새로이 세운 진단과 치료 계획(Plan)을 기록한 것을 말한다.

2) 경과기록 양식 - SOAP 형식

(1) S : **주관적 정보(Subjective data)**

환자, 간병하는 가족, 친지가 주관적인 증상이나 느낌, 관찰, 반응 등에 대해 이야기한 것을 통해 얻은 정보를 말한다.

병력청취로 비유하면 그날그날의 주호소(C.C)와 계통적 문진(ROS)이라 할 수 있다.

(2) O : **객관적 정보(Objective data)**

❶ 의사와 치료팀의 관찰 소견
❷ 임상병리검사, 영상 검사 등을 포함한 검사소견을 간결하게 적는다.
가. 그날의 P/Ex 소견을 반드시 기입해야 한다.
나. 진단검사 : 임상적으로 유의미한 검사소견[(+)소견/밀접한 관련이 있는 (–)소견]을 간략히 기록한다.
진단검사 결과는 임상적인 소견과 일치될 때, 의미가 있고 임상소견을 객관적으로 뒷받침해준다.
다. 활력징후(V/S) : 바로 전날 또는 입원 시점과 비교하여 좋아지거나 나빠지거나 하는 등의 변화가 있을 때 쓴다. 특별히 언급할 게 없다

면 V/S–stable 정도도 기술한다.

** Flow sheet:환자의 문제가 많거나, 매일 추이를 확인해야 하는 진단 검사가 많은 경우에 날짜별로 목록표를 작성하면 한눈에 변화 추이를 볼 수 있고 편리하다. 대부분의 EMR은 이 기능을 제공하고 있다.*

(3) A : 평가(Assessment of data)

주관적 · 객관적 자료(위의 S와 O)를 토대로 분석하고 평가한 것으로서, 종종 진단명만 써 놓는 경우가 있지만, 아래의 과정이 담겨야 한다.

❶ 환자 진료의 진행과정을 평가하고, 새로 발생한 문제를 찾아 진단 및 처치계획을 계속 진행할 것 인지/변경하거나 새롭게 할지 등의 의사결정을 내리는 과정.

❷ 계획을 진행 · 변경하는 이유를 명기함으로써 환자의 문제에 대한 자신의 생각을 설명한다.

(4) P : 치료관리 계획(Plan of Management)

진단계획 · 치료계획 · 교육계획 3부분으로 나누어 정리한다.

❶ 진단계획(Diagnostic Work–up, w/u)

❷ 치료계획(Treatment, Tx)

❸ 환자 교육(Patient Education, Pt/Ed.)

– 경과기록 기술과 진료지시(Order) 기술의 차이점:
약의 용량이나 횟수 등을 구체적으로 지시해주는 것이 아니라 약을 다른 것으로 바꾸어야 한다든지, 수술적 치료를 해야 한다든지 하는 대략의 계획을 간결하게 쓰는 점이 다르다.

4 입원 오더

오더에는 입원(Admission), 전원(Transfer), 수술 전 또는 후(Pre-Op. or Post-Op.) 등 종류가 있지만 형식(ADCA VAN DIMLS format)은 비슷하다.

** Pre–Op: Pre–Operation, Post–Op: Post–Operation*

입원오더(Admission order)를 예로 살펴보자.

- A : Admission order - *입원노트임을 표시하는 제목*
- D : Diagnosis (or procedure if post-op orders) – *환자진단명 또는 시술, 수술명*

  e.g.) Acute Myocardial Infarction, s/p CABG*

  ** status post (s/p) Coronary Artery Bypass Graft (CABG) - 과거에 관상동맥우회로이식술을 시행 받음*

- C : Condition - *환자의 중증도*

  e.g.) ❶ Satisfactory or Stable/ ❷ Serious / ❸ Critical

- A : Allergies – *알러지 유무*

  e.g.) NKA(No Known Allergies)

- V : Vitals - *활력징후 측정 항목, 주기*

  e.g.) frequency of TPR, BP/ CVP / PCWP / Weight 등

- A : Activity – *환자 활동범위,수준*

  e.g.) ❶ ad libitum (at pleasure, freely) / ❷ get up

  ❸ ambulate qid. bathroom privilege

  **qid: quarter in die, 하루네번*

  ❹ ABR (Absolute Bed Rest) 또는 Complete Bed Rest

- N : Nursing Procedures - *간호유의사항*

- D : Diet - *식사*

  e.g.) ❶ NPO (Nothing Per Os)

  ❷ SOW (Sip of water)

  ❸ Clear Liquid

  ❹ Soft Diet

  ❺ Regular Diet (RD)

  ❻ Protein–restricted / Salt restriction / DM diet: 1800 Kcal/day

  ** DM: Diabetes Mellitus, DM diet: 당뇨식*

- I : IV orders - *수액과 정맥투여 약물*

■ M : Medication orders - *정맥투여외 약물*

원칙까지는 아니나 다음과 같이 그룹별로 세분해서 작성하는 것이 실수를 줄이고, 타 보건의료직군과 소통을 위해 좋다.

❶ 특별한 치료적 목적을 위해 투여하는 약물들
❷ 통상적 약물들
❸ 증상조절을 위한 약물들
❹ 필요 시 사용하는 처방 prn (pro re nata: when necessary)

■ L : Labs - 임상병리 검사, 방사선 검사

** Labs: Laboratory Tests*

■ S : Special orders - *위 항목에 해당하지 않는 다른 오더*

e.g.) ❶ 호흡기 치료, 재활치료 등(Respiratory, Physical or Occupational therapy)
❷ 타과 진료의뢰(Consultation)
❸ 진단검사를 위한 준비
❹ 주의사항
예) 38 ℃ 이상 시 혈액배양검사(Blood culture) 후 아세트아미노펜 500 mg 경구투여(AAP 500 mg/p.o.)

** p.o.: per os 경구투여*

5 실전 의무기록

· 입원기록(Admission Note), 경과기록(Progress Note)의 예를 통해서 Hx 및 P/Ex, 진단검사에서 얻은 정보를 기록하는 예시와 입원 오더(Admission Order)를 해석하는 방법을 살펴보자.

· 여기에서 예로 제시한 것은 한 환자의 일관된 소견이 아니라는 점에 유의해주시고, 여러 예를 보여주려는 목적으로 일반적으로 동시에 존

재하지 않는 소견을 함께 적은 경우도 있다.

- 병원에서의 의무기록은 대부분 영어로 기술되므로, 예시 역시 그렇게 기술하였다. 의사소통을 위해서는 익숙해져야 한다.

1) 실전 입원기록(Admission Note)

입원기록에 담긴 많은 정보들은 서로 연관성을 가지고 있어야 한다. 따라서 입원기록은 단순한 정보의 나열이 아니라, 복잡한 퍼즐조각을 맞춘 듯 전체적인 그림이 파악되게 정리되어야 한다. 물론 이를 위해서는 많은 교육과 훈련이 필요하다.

Admission Note

Pt.name: 신관동
Age & Sex: 53세 / Male
Admission date: 2021.11.10. via Out-Patient Department/ Emergency Room/119

1. C.C: Chest Pain & LOC (Loss of Consciousness)
onset-recent: 2021.11.10. AM 10 : 00
remote : 3 weeks ago

* 중요한 시간 정보는 오늘 아침 등으로 표기 하지 말고 24시간 단위로 날짜와 함께 기술한다.

2. P.I: 10년 전부터 Local clinic에서 essential hypertension 진단받고 약물치료 중인 53세 남자 환자로, 내원당일 아침 neck anterolateral side에 bilateral하게 시작하여 양쪽 귀로 radiation되는 aching pain때문에 잠에서 깨였으나 pain이 심하지 않아 평소와 같이 출근했고, 출근 후 한 시간쯤 사무일 하고 있던 중 갑자기 severe crushing chest pain이 substernal area에 생기면서 심한 sweating이 동반되어 곧 의식을 잃어 직장동료에 의해 본원 응급실로 내원하였으며, 내원 시 의식은 명료함.

환자는 과거에 비슷한 chest pain을 경험한 적은 없었다 하고, 최근 수개월 동안 2층 정도 계단을 오른 후에 dyspnea를 느껴왔으나, paroxysmal nocturnal dyspnea나 orthopnea는 없었다고 함.

3. PMHx (Past medical history)

(1) 유년기 질환(Childhood illness)
홍역Measles / 볼거리Mumps / 수두Chicken pox

(2) 성인기 질환 (Adult illness)

❶ 입원력 (Hospitalization Hx.)
recurrent bloody diarrhea를 주소(C.C)로, ulcerative colitis로 진단(Diagnosis)받고,
2주 동안 admission (Duration), 서울 ○○ 병원, 2004 (Place,

Example

time)에 입원

recurrence보여 2회 admission, 그후 증상 재발 없어 현재 치료받고 있지 않음

❷ Hypertension : 최근 3년간 본태성 고혈압 치료를 위해 medication

DM(–), Hypertension(+), Tb(–), Hepatitis B (–), Liver cirrhosis (–), Bronchial asthma(–)

(3) Op. : Appendectomy (19세. ○○○ 병원)

(4) Allergy : None / Cephalosporin계 항생제: Skin rash

4. FHx (Family History)

Father died ⓐ 87

Brother – Acute Coronary Syndrome (ACS)

5. SHx (Social History)

Smoking : 1 pack/day x 30 yrs (years) (= 30 pack – year)

Alcohol : 소주 2홉 1병/day x 10 yrs (years)

Drug : anti–HTN* medication – hydrochlorothiazide 25 mg qd AM

** HTN: Hypertension*

Occupation : 카피라이터

6. ROS (Review of System)

** 응급실 의무기록에서는 아래 사항을 모두 기록을 하지 않고, 환자의 상태를 설명하는데 의미 있는 (+)소견, 의미있는 (-)소견만 편의상 간략히 기록하기도 한다.*

** 대부분 영문으로 기록되니, 의학용어도 공부할 겸 신체부위 또는 계통별로 표현하는 증상들을 스스로 보기 바란다.*

계통(system)별 증상 목록

❶ General

Overall feelings of wellness, weight gain or loss, fever, chills, night sweats, fatigue, weakness

❷ Head & Neck

가. Head

Headaches, trauma, syncope

나. Neck

Dysphagia (difficulty swallowing), painful swallowing, change in voice, Pain, stiffness, swelling, lumps

다. Eyes

Change in vision (blurry vision, double vision, floaters), trauma, use of corrective lenses

라. Ears

Change in hearing, tinnitus, vertigo, pain

마. Nose

Discharge, stuffiness, epistaxis

바. Mouth

Soreness, gum bleeding, issues with teeth

❸ Respiratory system

Shortness of breath, dyspnea, wheezing cough (dry vs. productive), orthopnea, hemoptysis

❹ Cardiovascular system

Chest pain, palpitations

❺ Gastrointestinal system

Anorexia, nausea, vomiting, constipation, diarrhea, abdominal pain, hematemesis, melena, hematochezia, jaundice

❻ Genitourinary system

Urinary frequency, urgency, hesitancy, dysuria, hematuria,

Example

incontinence, pain

Females: Vaginal discharge, discomfort, itching, character of menstrual periods, contraceptive

Males: Erectile dysfunction, lesions

❼ Musculoskeletal system

Pain, trauma, tenderness, swelling, decreased range of motion, varicose veins, leg cramping, edema

❽ Skin

Changes in color, dryness, hair loss, rashes, pruritis, bruising, bleeding

❾ Nervous system

Seizures, tremors, weakness, altered sensations, difficulties in speech, incoordination

7. P/Ex (Physical examination)

V/S: BP – PR – RR – BT – SpO_2

e.g. 120/80 mmHg – 78회/min (monitor) – 12회/min – 36.7°C – 98% (room air)

** SpO_2(또는 SaO_2)는 5번째 V/S으로서 측정된 경우 꼭 확인해야 하며, $EtCO_2$도 많은 정보를 제공하기 때문에 최근에는 $EtCO_2$까지 활력 징후로 분류하기도 한다. 혈압은 상지/하지/우측/좌측 또는 supine/erect BP를 나누어 측정하기도 한다. PR을 직접 측정하지 않고, 심전도 모니터에서 기록된 값을 적기도 하는데, 이때는 PR 78회 (ECG monitor)와 같이 적는다. 산소포화도 역시 산소 보충이 없는 상태면 98% (room air), 보충적 산소투여시는 98% (3 L/min, nasal prong)와 같이 기술한다.*

** ROS와 마찬가지로 P/Ex에서 (+)소견 뿐 아니라 의미 있는 (-)소견이 있음을 주목해야 한다.*

신체부위별 또는 계통별 검진 (예. 신경계) 목록

1. General appearance

가. Mental status

Alert / drowsy / stupor/ semicoma / coma

* 의료기관에서는 AVPU 분류를 잘 사용하지 않는다. P에 해당하는 stupor, semicoma 구별이 중요한데, AVPU는 이를 구별하지 않기 때문이다. 하지만 이 5가지 의식수준의 용어 정의, 측정 방법은 꼭 익혀야 한다.

나. Patient's apparent general health

: well-developed, well-nourished

fairly well-developed, well-nourished

poorly developed, poorly nourished

thin, cachexic

obese, overweight

다. severity of illness

not so ill looking, acute ill looking / chronic ill looking

in acute distress

라. Patient's attitude

cooperative, uncooperative, argumentative

2. Head & Neck

가. normocephaly without deformity

나. isocoria with R/L (++/++)

full EOM without nystagmus

* 동공 크기와 좌우차이 그리고 빛반사는 매우 중요한 정보를 제공한다.

Rt, Lt를 같이 표기할 경우 Right를 먼저 표기하는 것이 일반적이다. 동공크기 ++를 정상으로, 이보다 작으면 +, 크면 +++, ++++ ...로 표기한다.

눈으로 가늠하여 mm 단위로 기록하는 것은 매우 부정확하므로 추

Example

천하지 않는다. 절대적인 크기보다 정상범위 안에 있는지, 그리고 시간이 지난 뒤 상대적으로 동공이 커졌는지 또는 작아졌는지 추이를 판단하는 것이 중요하다. 또한 정확도를 위해 한 사람이 반복해서 측정하는 것이 좋다.

다. Palpable mass: (−) / (+)
  e.g) (+) 시
    2x3 cm sized
    fixed /movable
    tender / nontender
    soft / hard
라. Anemic / not anemic conjunctiva
마. Icteric / not icteric sclera
바. Hearing loss / discharge (−/−)
사. Tongue : normal color
  dehydrated
  deviation or protrusion
아. Pharynx : Tonsillar hypertrophy (−/−)
  No enlargement or exudate seen
자. Larynx : Voice normal
  No hoarseness or aphonia
차. Neck : Trachea is in midline
  No Thyroid enlargement
  No LN (lymph node) enlargement
  No carotid bruits
  normal/flat/distended JV (jugular vein)

③ Chest
가. Inspection: symmetrical expansion / no deformity
나. Percussion: no dullness
  no hyper-resonance
다. Palpation: no thrill
  no tenderness

라. Auscultation: smooth breathing sound without crackles/ wheezing
Regular heart beat without murmur (SI, S2 sound ; normal, no gallop sound etc)

❹ Abdomen

가. Inspection: no abdominal distention
no previous OP (operation) scar

나. Auscultation: normoactive/hypoactive/hyperactive bowel sound

다. Percussion: no shifting dullness

라. Palpation: soft / rigid (muscle guarding)
flat / distended /flank swelling
no tenderness / RLQ·LUQ·LLQ tenderness
no rebound tenderness
palpable mass (−) / (+)
e.g) (+) 시
site ; RUQ, RLQ, LUQ, LLQ
size : 5x5 cm
shape : ovoid, irregular
consistency ; soft, hard
fixation : fixed / movable
pulsatile mass
organomegaly − liver / spleen

❺ Extremities

가. Good color

나. No deformity, edema, tremor, ulcer, varicosity, redness, swelling.

다. Neurovascular (PMS): intact / impaired

라. Clubbing (−)

마. Erythema (−)

바. Cyanosis (−)

사. Pitting edema (−)

아. Movement – free / LOM (limited range of motion)

❻ Skin

가. Color : erythematous change (–)

나. Lesion : (–)

다. Turgor : normal

❼ Nervous system

* 구성요소 : Mental status, Cranial Nerve, Motor/Sensory, Reflex, cerebellar function

가. Nystagmus (–)

나. Ptosis (–)

다. Tongue deviation (–)

라. Aphagia (–)

마. Normal pupillary reflex

바. Motor – intact

(근력은 우측/좌측/상지/하지 5 grade로 표시, 정상 5/5, 5/5)

Sensory – intact

사. Biceps/Triceps/knee/ankle jerk (++/++)

Pathologic reflex (–) e.g) Barbinski (–/–)

아. Flapping tremor (–)

* 외상환자에서는 DCAP-BTLS 중심으로 추가 기술이 필요하다. 인체 그림을 이용하는 것도 좋다.

DCAP-BTLS : deformities, contusions, abrasions, punctures/penetrations, burns, tenderness, lacerations and swelling 등의 여부

8. Impression:

'R/O' – Acute Myocardial Infarction

Unstable Angina

Dissecting Aneurysm

Known – Essential hypertension

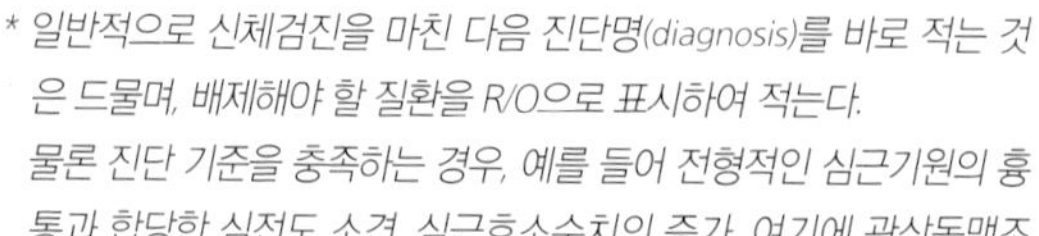

** 일반적으로 신체검진을 마친 다음 진단명(diagnosis)를 바로 적는 것은 드물며, 배제해야 할 질환을 R/O으로 표시하여 적는다.*
물론 진단 기준을 충족하는 경우, 예를 들어 전형적인 심근기원의 흉통과 합당한 심전도 소견, 심근효소수치의 증가, 여기에 관상동맥조영술결과가 뒷받침한다면 Dx(Diagnosis) – Acute myocardial infarction. Antrolateral 이렇게 기록할 수 있다.
Known Essential hypertension은 병력으로 이미 알고 있고, AMI 또는 dissecting aneurysm의 위험인자이므로 계속 관리되어야 하기 때문에 기록하는 것이 좋다.

< Plan >

Impression을 기술한 뒤 문제 목록 (problem list)를 만들어 감별진단이 필요한 진단명과 이에 대한 진단검사 계획(Diagnostic work up, W/U)을 추가할 수도 있다.

바쁜 응급실에서 근무하는 스태프들이 이렇게까지 적는 경우는 많지 않지만, 기술이 되어 있으면 꼭 확인해보고, 또 교육적 목적으로 기술하는 훈련을 해보도록 하자. 아래는 환자의 문제 1. chest pain, 2. exertional dyspnea, 3. hypertension에 대해 가능한 원인에 따른 진단계획(Work – Up)을 기술하고 있다.

#1 Chest Pain, #2 Exertional dyspnea

❶ Work-Up (W/U)

가. R/O AMI

Serial EKG
Serial Cardiac enzyme (CK-MB, Troponin I/T, BNP)
ECG Monitor

나. R/O Dissecting Aneurysm
Review Chest X-ray
Check BP (right vs. left / upper extremity vs. lower extremity)
ECG Monitor

다. Pulmonary Embolism
Review CXR
Check Pulse of legs / Doppler scanning
Chest CT

❷ **Tx**
Bed rest – Transfer to CCU(coronary care unit), sedation

❸ **Patient Education** – Discuss probable MI

#3 **Hypertension**

❶ **W/U**
Observe BP q 6hr
Serum Na, K, Cl

❷ **Tx**
Bed rest & observe

2) 실전 경과기록(Progress Note)

경과기록을 작성하는 방법은 입원기록보다 다양하다. 가장 일반적으로 쓰이는 방법은 POMR(problem oriented medical recording)에 근거한 SOAP 모델이다. SOAP는 앞서 언급한대로 **S** 주관적 정보(Subjective data), **O** 객관적 정보(Objective data), **A** 평가(Assessment of data), **P** 치료관리계획(Plan of management)을 순서대로 기술한다.

Progress Note

2022.5.7

#1 Chest Pain

S – No chest pain (A.M)
episode of profuse diaphoresis. (5월 7일 새벽 자다가 깸)
Appetite : good.
Constipation을 complaint

O – 1) v/s
BP 170/100, PR 72/min
2) P/Ex
Lungs : auscultation – clear
Heart : regular, no murmur
Extremities : free, pitting edema (–/–)
3) Lab
EKG : progression of anterolateral ischemia. STEMI
** STEMI: ST Elevation MI*
4) Chest X-ray : no evidence of dissecting aneurysm

A – 1) Acute myocardial infarction (anterolateral wall)

P – 1) Continue present treatment.
2) Give mineral oil for constipation.

3) 실전 입원 오더

앞서 제시한 ADCA VAN DIMLS 양식에 따른 입원 오더의 예시이다.

Admission Order

1. Dx : Congestive heart failure with pulmonary edema
   Pneumonia

2. Serious

3. No Known Allergies

4. Check V/S q 6hr
   Check I/O, body weight
   Keep ECG, NIBP*, SpO_2 monitoring
   ** NIBP : Non-invasive Blood Pressure*

5. ABR with semi-fowler position

6. O_2 4 L/min via nasal prong
   Encourage expectoration

7. Low Salt Diet

8. IV) ❶ 5% D/W 500 mL/ K.V.O*
   ** Keep Vein Open*
   ❷ Lasix 40 mg/IV
   ❸ Ceftriaxone 1.0 / IV q 12 hr

9. Px*) ❶ Lasix 20 mg/bid

Capoten 12.5 mg

❷ Digoxin 0.25 mg/qd

❸ Erdos 3 C 3 T/tid

Tyrenol 3 T

Cimetidine 3 T

Q-zyme 3 T

** Px : prescription*

10. lab) CBC*, Electrolyte, LFT*

** Complete Blood Count, *Liver Function Test*

Cardiac maker (CK-MB, Troponin I/T, BNP*)

** Brain Natriuretic Peptide*

ABGA*

** Arterial Blood Gas Analysis*

Sputum culture

X-ray) Chest AP follow up

ECG

11. Notify the physician in charge, if BT > 38°C or SpO_2 < 90%

폐렴이 동반된 심부전 환자의 입원오더 예시 설명

1. 맨처음 환자의 진단명(Diagnosis, Dx)이 나오는데, 진단명이 두 개이나 사실 심부전을 가장 중요한 병태생리기전으로 해서 폐부종이 발생하고, 이로 인해 감염에 취약해지면서 폐렴까지 동반한 하나의 줄거리로 설명하는 것이 올바른 접근이다. 두가지 상이한 질병이 동시에 독립적으로 발생하는 경우는 거의 없으며, 대부분 연관성을 가지고 있다.

2. 환자의 상태는 Serious 하다.

3. 알러지 병력은 없다.

4. 6시간 간격으로 하루 4회 활력징후를 측정하고, 심부전 환자에게 체액이 축적되는 것을 피하는 것이 중요하기 때문에 수분섭취/배설량(I/O) 측정과 몸무게를 매일 측정하여 체액 축적(또는 배설) 정도를 관찰한다. 급성기라면 체중이 줄어드는 것을 기대한다. 또한 심전도와 비침습적 혈압, SpO_2를 지속적으로 모니터링 장비를 통해 감시한다.

5. 폐부종까지 동반한 심부전 환자이기 때문에 상체를 올린 semi-fowler 자세를 통해 전부하를 낮추는 것이 도움이 되며, 호흡곤란의 호전을 확인하기 전까지 절대침상안정(ABR)을 지시하고 있는다. 모니터링 장비를 통해 감시를 해야 하는 것도 ABR의 이유가 된다.

6. 비강캐뉼라를 통해 4 L/min의 유속으로 산소를 공급하고, 폐렴의 호전을 위해 가래를 계속 뱉어내도록 환자에게 교육 또는 격려를 한다.

7. 염분은 체액 축적의 주범이기 때문에 저염식을 처방하고 있다.

8. 심부전 환자에게 수액투여는 조심스럽게 해야 하며, 특히 나트륨 성분이 있는 수액은 투여하지 않는다. 나트륨 성분이 없는 5%DW 수액을 혈관이 막히지 않을 정도의 속도로만 투여하는 것을 지시한다. 이는 아래의 이뇨제 lasix와 항생제 ceftriaxone을 정맥주사하기 위한 정맥로 확보 용도이지 수액투여를 하기 위함이 아니다.

9. 경구투여 약물로 1) 전부하를 줄이는 중요한 약물 이뇨제 lasix와 후부하를 줄이고 심근 리모델링에 도움을 주는 Capoten을 하루에 2번 그리고 2) 심부전을 겨냥 하여 Digoxin을 하루 4번하고 있고, 3) 폐렴을 겨냥하여 객담배출을 도와주는 mucolytic와 해열제 등으로 구성되어 있다.

10. 입원환자에게 기본적으로 이루어지는 검사를 제외하고, BNP를 포함한 cardiac marker와 동맥혈 산소, 이산화탄소 분압을 보기 위한 ABGA 그리고 폐렴의 원인균을 동정하기 위한 객담배양검사가 환자에게 중요하다. Chest AP는 환자가 ABR 상태이기 때문에 포터블 기기를 이용하여 촬영을 지시하고 있고, 이전 Chest AP 보다 폐부종이 감소하는지 비교를 위한 중요한 검사이다.

11. 마지막으로 38℃ 이상의 발열과 산소포화도 90% 미만으로 떨어지는 경우 주치의에게 연락해주는 것으로 마무리된다.

학교 공부는 왜 재미가 없을까?

누구나 늘 던지는 우문이지만, 잠시 교육학의 기초이론을 보면서 생각해봅시다. 교육학자 블룸(Bloom, 1956)은 교육의 목표를 아래와 같이 제시하였고, 이는 블룸의 교육목표분류체계(Bloom's Taxonomy)라고 일컬어 집니다.

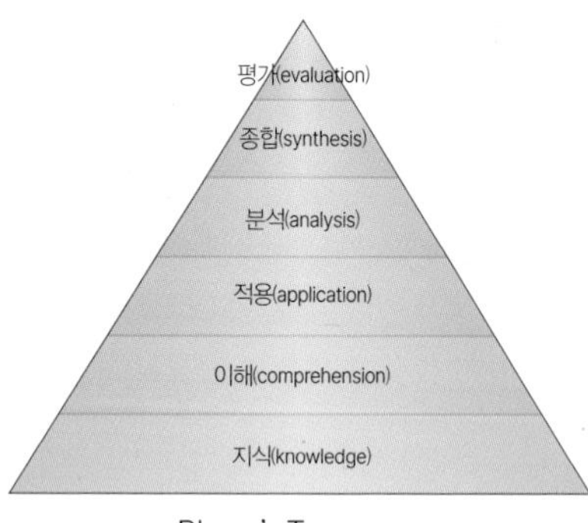

Bloom's Taxonomy

교육의 3대 영역 중 인지 영역에 한정한 그림이며, 위로 올라갈수록 높은 수준의 교육목표입니다. 눈치 빠른 분은 아시겠지만, 학생들이 해온 공부의 대부분은 이 분류체계상 가장 낮은 단계인 '지식

(암기)' 그리고 '(암기를 돕는)이해'를 벗어나지 못하는 게 대부분입니다. 심지어 대학에서도 학점의 공정성 앞에 논술형 문제들이 모두 사라지고, 단답형이나 선택형 객관식으로 단순 지식의 암기만을 평가합니다. 이러한 공부가 재미있을 수가 없습니다.

공부의 맛은 '적용' 이상의 단계에서부터 느낄 수 있습니다. 암기하고 이해한 지식을 실제 환자 사례에 '적용'해보고, 환자의 여러 증상과 징후들, 진단 검사들의 결과를 '분석'해보고, 이들 정보가 가진 내적 연관성을 파악하여 '종합'하고, 환자를 총체적으로 '평가'하는 과정. 이 과정에서 머릿속에 저장만 되어있던 지식이 현실과 만나, 그 의미를 찾아가게 되고, 짜릿한 '학문'의 위대함을 체험하게 됩니다. 임상 실습은 이러한 맥락에서 매우 중요한 시간인데, 적용과 분석, 종합과 평가를 훈련하는 최적의 교육이기 때문입니다.

하지만 블룸의 분류체계는 좋고 나쁨의 관계를 가지고 있지 않습니다. 적용하고 분석하려면 지식의 암기와 이해가 선행 조건이기 때문입니다. 결국 지식의 암기와 이해만 하는 것이 문제이며, 공부를 재미없게 하는 이유 중 하나입니다.

병원 **의무기록**과
진단검사의 이해

PART

2

임상병리검사

Clinical Laboratories

- 임상병리검사 결과가 모든 것을 해결해주지 않는다. 항상 임상소견(증상과 징후)과 함께 연관시켜 생각하는 습관을 들이도록 하자.
- 검사결과를 자주 보고 눈에 익혀 두면 검사결과를 더 빨리 파악할 수 있다.
- 대개 임상병리검사를 내는 경우, battery 단위로 묶음 검사오더를 내는 경우가 많으므로 battery별로 알아두면 좋다.

  e.g.) Admission battery, Liver batter, Kidney batter 등
- 정상 범위를 알아두는 것도 필요하지만, 즉각 중재가 필요함을 암시하는 검사값이 있는 경우도 있으니 알아두도록 하자.

1 임상병리검사

1) 임상 병리 검사의 목적

❶ 확실한 진단 혹은 진단의 확인. 그리고 감별진단을 위해서
❷ 질병의 경중을 판단, 혹은 질병의 병기(stage)를 정하기 위해서
❸ 치료방침 수립, 효과 판정, 약제 선택 및 혈중 약물 농도 판정을 위해서
❹ 환자의 경과관찰(Follow Up, F/U)과 예후(Prognosis)판단을 위해서
❺ 선별검사(Screening Test)를 위해서
❻ 입원 또는 수술을 위한 사전 준비
❼ 기타 – 유전 상담, 법적 증거물 (알콜 농도 등)

2) 검체 채취 시 주의 사항

(1) 혈액 채취(Blood sampling)

❶ 공복 시 채취하는 것이 원칙(식사의 영향 배제)
❷ 채혈량

전혈(Whole blood) 사용 종목: 채혈량 = blood 양

혈청(Serum) 사용 종목: 채혈량 = (검사에 필요한) serum 양의 3.5배 이상

❸ Tourniquet을 1분 이상 묶으면 정맥 울혈(Venous Congestion)로 혈액 농축(Hemoconcentration)이 발생 가능하므로 주의

❹ 혈액 채취 후 주사바늘을 제거한 뒤 tube의 벽을 따라 혈액이 흘러내리도록 함. 피스톤을 밀어 분사 시 용혈(Hemolysis)되어 검사 오류가 발생할 수 있으므로 주의

** RBC hemolysis시 농도 변화 : RBC 1% hemolysis시 Hematocrit (Hct) 0.5 % 감소*

❺ 채취한 혈액은 적절한 첨가제가 들어있는 tube에 넣어 운반(검사의 목적에 따라 혈액을 담는 튜브의 종류가 다름)

❻ 모든 검체는 채혈 후 곧 운반하여 즉시 검사 또는 혈청을 분리하여 보관

** 혈청 분리 안 했을 때 : 혈당치가 시간당 7 mg/dL씩 감소*

표 2-1

튜브의 색	첨가물	용도
Purple	EDTA	– Hematologic examination. e.g.Complete Blood Count with Differential Count, CBC with DC (Lipid profiles에는 사용하지 않음)
Red or Plain tube	None	– Chemistry – Serology – Cross-matching
Blue	Sodium citrate	– Coagulation test (PT*, PTT*) ** PT: Prothrombin time, PTT: Partial Thromboplastin Time* (Fibrin 분해 물질 측정에는 사용하지 않음)
Green	Sodium heparin	– Osmotic fragility test, Ca(i), Ammonia, Cortisol 등

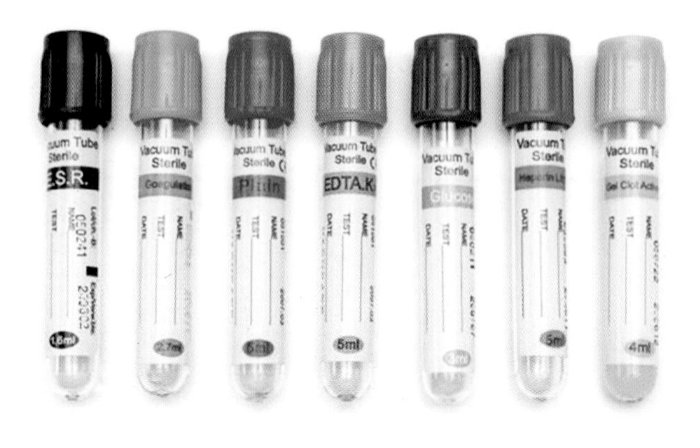

그림 2-1 혈액채취용 튜브

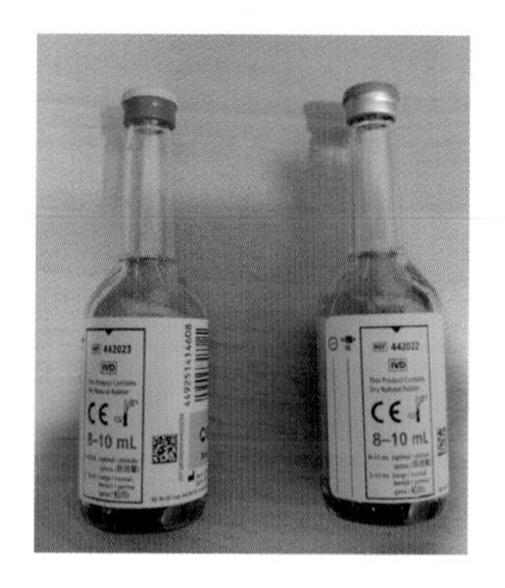

그림 2-2 혈액 배양 용기 – 호기성, 혐기성

그림 2-3 소변 배양 용기

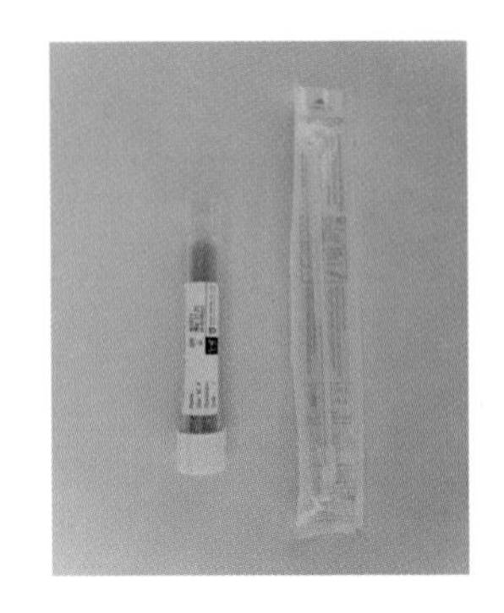

그림 2-4 면봉채취 배양튜브

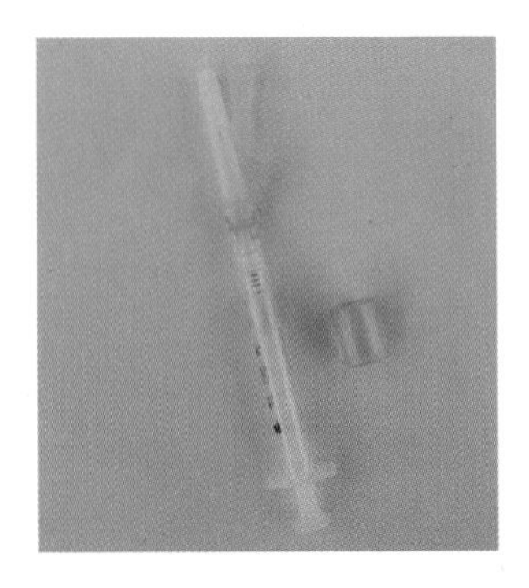

그림 2-5 헤파린 처리된 ABGA용 주사기

(2) 채뇨(Urine collection)

❶ 일반소변검사(Routine Urine Exam) – 아침 첫 뇨의 중간뇨 100 cc를 모은다.

❷ 24시간 소변검사(24hr Urine Exam)

가. 지정된 시간에 소변을 보고 버린 다음 그 다음날 그 시간까지의 소변을 모음

나. 대변 시 나오는 소변도 포함

다. 용기에 지정된 보존제를 넣고 24시간 동안 냉장보관

(3) 객담검사(Sputum Exam)

❶ **검사를 위해 객담을 얻는 방법**

가. 환자 스스로 객담배출을 하거나(Expectoration) 기관지내시경을 이용한 기관지폐포세척(bronchoalveolar lavage)을 통해 의해 객담을 얻음

나. 반드시 "Deep Cough"에서 얻어야 함(즉, 침이 아니라 하기도의 분비물을 얻어야 함)

다. 이른 아침의 객담이 좋음

라. 못 움직이는 환자 – Percussion & Postural drainage 또는 Nasotracheal suction

 # 혐기성객담배양(Anaerobic Sputum Culture)

흡인성 폐렴 Aspriation Pneumonia이나 폐농양 Lung Abscess 진단에 중요

Pneumocystis pneumonia

Sputum Culture의 방법으로는 진단을 내리기 힘들며, Open Lung Biopsy 또는 Endobronchial Lavage 해야함.

❷ 객담검체의 질 평가: Murray–Washington Grade

표 2-2 객담검체의 구분

Group	WBC (Num. /XIOOF)	Sq.epithellial cells(Num./X100F)
6	< 25	< 25
5	> 25	< 10
4	> 25	10–25
3	> 25	> 25
2	10–25	> 25
1	< 10	> 25

Group 5의 specimen만을 주로 사용.

3) 임상 병리 검사의 분류

병원에서 일반적으로 쓰이는 검사 의뢰의 종류는 다음과 같다.

❶ 혈액 및 응고 검사
❷ 일반뇨 및 기생충 검사
❸ 일반 생화학 검사
❹ 특수 생화학 검사
❺ 면역–혈청학 검사
❻ 일반 미생물 검사
❼ 미생물 검사(진균, 결핵)
❽ 혈액은행 검사
❾ 응급 검사

4) 자주 사용되는 임상병리검사

(1) 전체혈구계산 (complete blood cell count, CBC)

: Hb*, Hct*, RBC index, WBC, Platelet

** Hb: Hemoglobin, Hct: Hematocrit*

3–4 cc의 혈액을 뽑아서 EDTA가 있는 시험관에 넣은 후 2시간이내에 검사하며 냉장 보관 시에는 24시간까지 연장 가능하다.

** 지연 검사 시 MCV* 증가, RBC, WBC, ESR*, Reticulocyte count 감소*

** MCV: mean corpuscular volume, ESR: erythrocyte sedimentation rate*

표 2-3 전체혈구계산과 감별계산(CBC with differential count)

Patient Name: ○ ○ ○ ○ Patient Number: 6325 Report Date: 7/11/2011 1:50 PM		Date of Birth (DOB) : 12/8/1970 Gender: Female	
Result	**Value**	**Units**	**Range**
WBC	2.8 Low	K/UL	4.0–10.0
RBC	2.92 Low	M/UL	4.20–5.40
HGB	9.2 Low	G/DL	12.0–16.0
HCT	27.0 Low	%	37.0–47.0
MCV	92.5	FL	81.0–98.0
MCH	31.4	PG	27.0–32.5
MCHC	33.9	G/DL	32.0–36.0
RDW	19.5 High	%	11.5–14.5
PLAT	108 Low	K/UL	150–400
MPV	8.6	FL	7.4–10.4
GRAN%	64.7	%	41.0–75.0
LYMPH%	21.8	%	9.0–45.0
GRAN#	1.8	K/UL	1.6–7.5
LYMPH#	0.6 Low	K/UL	0.8–4.5

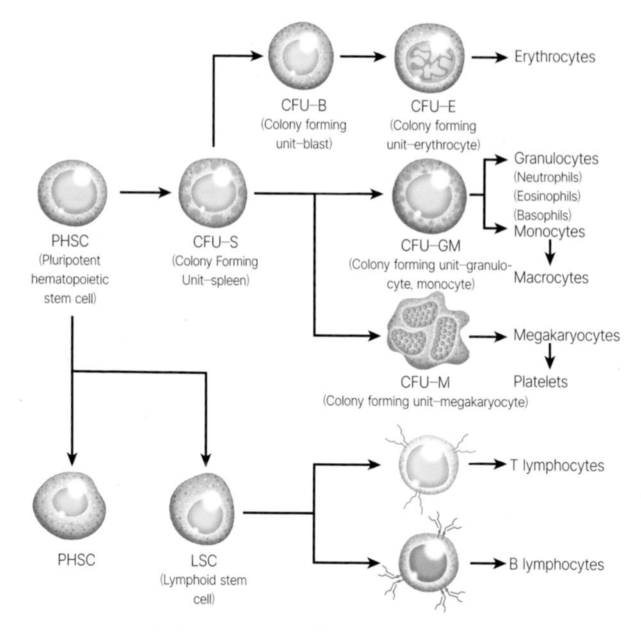

그림 2-6 골수에 있는 만능 조혈모세포(Pluripotent Hematopoietic Stem Cell, PHSC)로부터 형성되는 여러 혈액 세포들

❶ RBC와 RBC index

(혈액검사의 정상치 또는 참고치는 기관마다 조금씩 다를 수 있다)

- RBC 정상치 M: 4.2 ~ 5.4 mil./mm^2
  F: 3.8 ~ 5.2 mil./mm^2

- MCV = (Hct / RBC) × 10 = 82–98 fL

  ** MCV : Mean Corpuscular Volume*

  – 증가: Megaloblastic anemia, Chronic liver disease, Down's syndrome, etc.

  – 감소: Overhydration, Iron deficiency anemia(IDA), Thalassemia, Sideroblastic anemia, etc.

- MCH = (Hb / RBC) × 10 = 26–34 pg

  ** MCH : Mean Corpuscular Hemoglobin*

  – 증가: Macrocytosis
  – 감소: Microcytosis

- MCHC = (Hb / Hct) × 100 = 32–36%

  ** MCHC: Mean Corpuscular Hemoglobin Concentration*

  – 증가: Severe dehydration, Spherocytosis etc.
  – 감소: IDA, Thalassemia, Sideroblastic anemia, Overhydration etc.

- RDW = (SD / MCV) × 100 = 10–15%

  ** RDW : Red Cell Distribution Width, SD: Standard Deviation*

  – 증가: Concomitant macrocytic and microcytic anemia, Post–TPN

  ** TPN: Total Parenteral Nutrition*

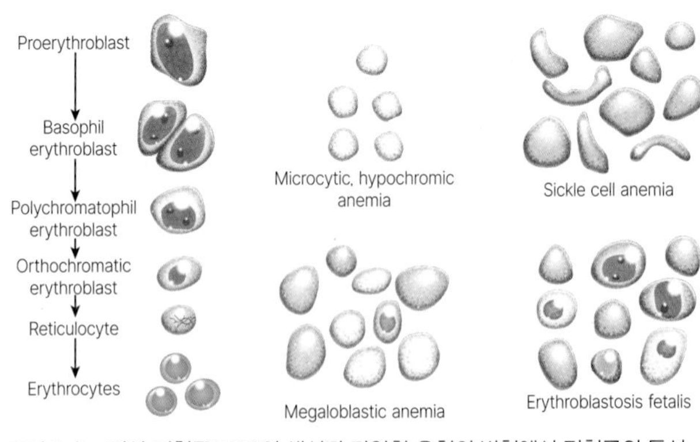

그림 2-7 정상 적혈구(RBC)의 생성과 다양한 유형의 빈혈에서 적혈구의 특성

❷ Hb

M: 14.0–18.0 g/dL

F: 12.0–16.0 g/dL

❸ Hct

M: 40–54%

F: 37–47%

– 증가: Primary polycythemia. secondary polycythemia, ect.

– 감소: Megaloblastic anemia, IDA, sickle cell anemia, hemolysis, acute or chronic blood loss, alcohol, drugs etc.

■ **Anemia**

WHO 진단 기준(Hemoglobin, Hb)

M <13.0 g/dL

F <12.0 g/dL

6 month–6 years old <11.0 g/dL

Pregnancy <11.0 g/dL

* Microcytic hypochromic Anemia ; MCV <80 fL, MCH <27 pg
IDA, Thalassemia, chronic liver disease, sideroblastic anemia

* Macrocytic anemia ; MCV >95 fL
Megaloblastic anemia, severe liver disease, myxedema

* Normocytic normochromic Anemia; MCV 80–95 fL, MCH 27–34 pg
Acute blood loss, hemolytic anemia, aplastic anemia

❸ WBC Differential Count

Normal: 4,000–10,000/mm^3

- Basophils (0–1%)
  – 증가: Chronic lymphocytic leukemia (CML) etc.
  – 감소: Acute rheumatic fever, lobar pneumonia, thyrotoxicosis stress, after steroid injection etc.

- Eosinophils (1–3%)
  – 증가: Allergy, parasites, skin disease, malignancy, asthma, collagen vascular disease, Addison's disease, pulmonary disease etc.

– 감소: After steroid, ACTH, Cushing's syndrome etc.

** ACTH: Adrenocorticotropic hormone*

- Neutrophils (40–76%)
  - 증가 : 아래 Neutrophilia 참조
  - 감소 : Pancytopenia, aplastic anemia, bone marrow damage, drugs, disseminated TB (Tuberculosis), Septicemia etc.
- Lymphocytes (22–44%)
  - 증가 : any viral infection, acute infectious mononucleosis, Acute lymphoblastic leukemia (ALL), chronic lymphocytic leukemia (CLL)
  - 감소 : burns, trauma, uremia, Bone marrow suppression
- Monocytes (3–7%)
  - 증가 : Bacterial infection, protozoal infection, leukemia, Hodgkin's lymphoma, ulcerative colitis, regional enteritis

■ Shift Left

Bacterial infection, hemorrhage 등의 상황에서 미성숙 다형핵백혈구인 'Bands (Stabs)'이 말초혈액에 나타나는 것으로

가) Stabs >20% of PMN

나) total PMNs >80%

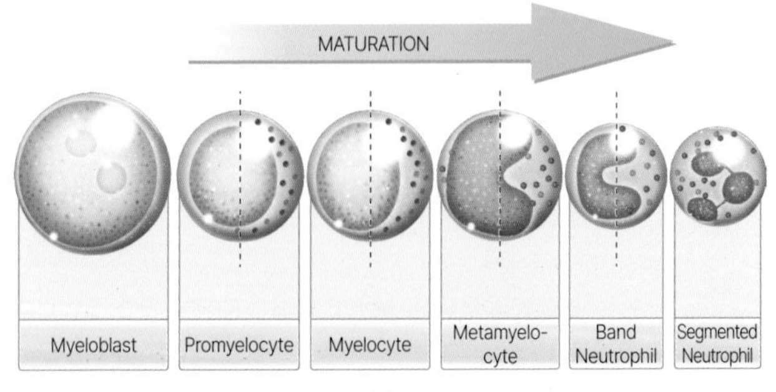

그림 2-8 호중구 성숙(Neutrophil Maturation)

세균감염 (Bacterial Infection)	Both	바이러스 감염 (Viral Infection)
연쇄상구균 인두염 (Strep throat) 결핵(Tuberculosis) 백일해(Whooping cough) 요로감염(UTI)	기관지염(Bronchitis) 폐렴(Pneumonia) 중이염 (Otitis media) 부비동염(Sinusitis)	감기(Common Cold) 독감(Flu) 인두염(Sore throat)
항생제(Antibiotics) 필요? YES	항생제(Antibiotics) 필요? MAYBE	항생제(Antibiotics) 필요? NO

그림 2-9 세균감염과 바이러스감염의 종류와 항생제 필요여부

■ **Leukocytosis**

급성 질병 시 흔하게 관찰. >11,000/mm^2

cf. Leukemoid reaction: Trauma, inflammation 등에서 골수 반응이 나타난 상태로 Leukocytosis보다 심한 상태 >25,000~30,000/mm^2

Leukoerythroblastosis: 백혈구의 수보다는 말초혈액상에 나타난 cell-line abnormality로서 immature WBC, normoblast 등이 보인다.

■ **Neutrophilia**

>75,000/mm^2

shift to left, LAP score의 증가로 CML과 구별

* *LAP: leukocyte alkaline phosphatase*

- Bacterial infection, noninfectious tissue damage, metabolic disorders, Leukemia

❹ Reticulocyte count (0.5–1.5%)

무핵 적혈구로서 RNA가 잔존하여 Hb합성이 계속되는 상태로 적혈구의 생성이 적절한지를 나타내는 지표로서 사용된다. Reticulocyte는 출혈, 용혈성 빈혈 등 혈구세포를 많이 만들어야 하는 상황에서 증가한다.

■ **Corrected reticulocyte count**

환자의 Hct를 교정한 값

reticulocyte % × (patient Hct/normal Hct)

■ **Reticulocyte production index (RPI)**

망상적혈구 지수

corrected reticulocyte count를 reticulocyte maturation time으로 나눈 값

만약 RPI가 2이면, RBC의 생산이 2배.

❺ ESR (Erythrocyte Sedimentation Rate)

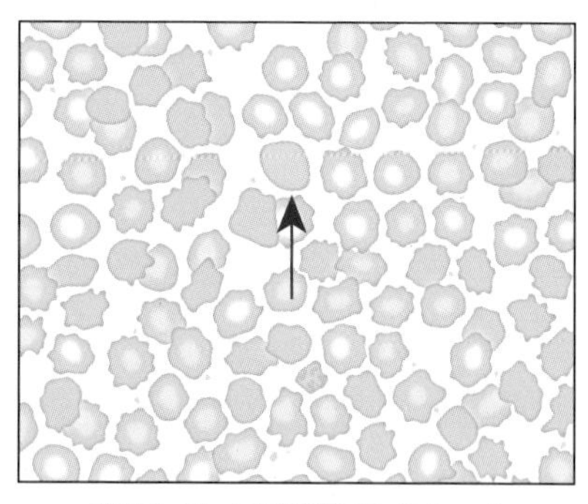

그림 2-10 그물적혈구(Reticulocyte)

Westergren scale

- M: <50 years, 15 mm/hr, >50 years, 20 mm/hr
- F: <50 years, 20 mm/hr, >50 years, 30 mm/hr

증가: Any type of infection, inflammation, Rheumatic fever, neoplasm, AMI

표 2-4 전체혈구계산(CBC)와 혈액응고 검사결과 예시

구분	검사명	결과	단위	(하한치–상한치)
혈액응고	PT (sec)	12.5	sec	(11.90–13.90)
	PT (%)	101.00	%	(81.00–108.00)
	PT (INR)	1.01	INR	(.94–1.16)
	APTT	33.50	sec	(28.60–41.30)
	Fibrinogen	285.	mg/dL	(182.00–380.00)
일반혈액	PLT	213.00	X 10^3/uL	(138.00–347.00)
	WBC	6.24	X 10^3/uL	(3.15–8.63)
	RBC	4.14	X 100^3/uL	(3.68–4.83)
	Hb	12.00	g/dL	(11.20–14.80)

❻ Prothrombin Time(PT)

정상 범위: 11–13 sec

보통 환자와 대조군(control) PT 값을 함께 보고

e.g.) 환자의 PT 12 sec

control 10 sec ——> 12 sec/ 83.3%

INR: 사용하는 시약의 차이에 따른 값의 차이를 보정하기 위해 WHO 에서 ISI (International Sensitivity Index)를 정하여 INR로 보고

** INR: International normalized ratio*

■ **PT 측정 목적**

가) Warfarin의 장기간 사용 시 모니터링

: Warfarin은 vitamin K의 기능을 억제하며 중독 시에는 vitamin K를 투여

나) 간기능 확인: coagulation factor

다) Extrinsic pathway의 이상 유무를 확인

❼ Activated Partial Thromboplastin Time(aPTT)

정상 범위: 27–38 sec

■ **aPTT 측정 목적**

가) 헤파린 치료(monitoring)

: Heparin은 antithrombin activity가 있으며 중독 시에는 protamine sulfate를 투여

** 최근에는 저분자량헤파린(Low molecular weight heparin, LMWH, e.g. enoxaparin)을 많이 사용하며, 이 경우 aPTT로 모니터링할 수 없으며, anti-Xa 수치를 확인해야 함*

나) Hemophilia A & B의 선별검사

다) Intrinsic pathway의 이상 유무를 확인

표 2-5 PT/aPTT검사결과에 따른 응고인자이상과 해석

aPTT	PT	coagulation factor deficiency	interpretation
prolong	normal	VIII, IX, XI, XIII	intrinsic pathway에 이상
prolong	prolong	II, V, X	common pathway에 이상
normal	prolong	VII	extrinsic pathway에 이상

(2) 대변검사(Routine Stool Examination)

: Salmonella, Shigella, Campylobacter, Malaria, blood parasites etc.

(3) 매독혈청검사(Venereal Disease Research Laboratory, VDRL)

nontreponemal test의 하나로서 cardiolipin Ag에 대한 Ab test

- Ig M (<5 wks), Ig G (>6 wks)

False (+) reaction → **위양성(False positive)을 보이는 경우**

- acute (<6 months): atypical pneumonia, malaria, bacteria/viral infection
- chronic (>6 months): SLE, narcotic addicts, leprosy, Aged person

(4) 전해질(Electrolyte Battery)

: Na^+, K^+, Cl^-, CO_2, $Ca(i)^{2+}/Ca(T)^{2+}$, P, Mg^{2+}, ect.

❶ Na^+ (sodium) serum: 136–145 mEq/L
ECF의 가장 중요한 양이온이며 비정상인 경우에는 환자의 체액량을 평가하고 기저질환 치료와 함께 교정해야 한다.

** ECF: extracellular fluid, ICF: intracellular fluid*

❷ K^+ (potassium), serum: 3.5–5 mEq/L

ICF의 가장 중요한 양이온이며 섭취한 potassium의 80–90%는 콩팥을 통해 배설된다.

가. hyperkalemia (>5.5 mEq/L)

- 심전도 변화 : peak T waves, wide QRS, ventricular escape, VT, VF, asystole

** hyperkalemia시 심전도는 거의 모든 부정맥이 가능할 정도로 다양하므로 Tall T 등의 심전도만 가지고 hyperkalemia를 진단하지 않고, 혈액검사 수치가 필요하다. 말기신질환(End-stage renal disease, ESRD) 환자가 투석을 거른 후 심정지가 발생하거나 심정지가 임박한 리듬을 보일 때 hyperkalemia의 가능성이 높기 때문에 calcium을 선험적으로 투여하지만, 이때도 ABGA등 정확도는 낮아도 빠르게 얻을 수 있는 검사를 통해 hyperkalemia를 확인하는 것이 좋다.*

- 응급치료 : 빠른 교정이 중요(kallimate enema를 이용한 K^+배설 이전에 투여해야한다.)
  Calcium gluconate 500 mg IV 투여 (Ca^{2+}은 K^+의 antagonist)
  sodium bicarbonate (Bivon®) 50 mEq으로 알칼리화
  D50 50 mL를 regular insulin 10–15 units 함께 IV 투여

** sodium bicarbonate, dextrose, insulin은 모두 K^+을 세포내로 이동시킴으로써 ECF의 K^+수치를 낮추기 위해 사용되며, 보통 cocktail이라고 하며 함께 투여한다.*

나. hypokalemia (<3.0 mEq/L)

: KCL로 보충한다.

성인에서 1 mEq/L의 potassium level을 올리기 위해서는 최소한 100 mEq의 potassium을 공급해주어야 한다(많은 양을 천천히 보충해주어야 한다).

❸ Ca^{2+} (Calcium): total 8.6–10.3 mg/dL, ionized 4.4–5.2 mg/dL

99%가 ICF에 존재하는 양이온으로, 이온화된 calcium과 protein (대

부분 albumin) 등과 결합된 것을 포함한 총 calcium 두가지를 구별하여 측정하고 보고한다. 응급실에서 Na^+,K^+보다는 덜 중요하지만 몇 가지 흔한 질병을 감별하고 진단하는데 도움을 준다.

** 예를 들어 total/ionized calcium 수치가 낮다면 AKI보다 CKD 가능성이 높고, 대량수혈 시 citrate등 항응고 목적의 첨가제와 결합하여 ionized calcium 농도 감소를 모니터링해야 하며, 간경화 시 알부민 수치의 감소로 인해 total calcium은 감소하나 ionized calcium은 정상이다.*

** AKI: Acute Kidney Injury, CKD: Chronic Kidney disease*

❹ Glucose, BUN, Cr, Uric acid, LDH

가. Glucose

- DM의 진단 기준(미국 당뇨협회)
  - 가) 8시간 이상 금식한 상태에서 측정한 혈당(공복혈당)이 126 mg/dL 이상인 경우
  - 나) 포도당 75 g을 물 300 cc에 녹여 5분에 걸쳐 마신 후(경구당부하검사) 2시간째 측정한 혈당이 200 mg/dL 이상인 경우
  - 다) 당화혈색소(HbA1c)가 6.5% 이상인 경우

  ** 위의 세 가지 검사는 명백한 고혈당이 아니라면 다른 날에 반복 검사*

  - 라) 다뇨, 다음, 체중감소와 같은 당뇨병의 전형적인 증상이 있으면서 식사 시간과 무관하게 측정한 혈당이 200 mg/dL 이상인 경우

표 2-6 당뇨병, 내당능, 공복혈당 장애의 혈당수치 기준

구분	공복혈당	식후2시간 혈당
당뇨병	126 mg/dL 이상	200 mg/dL 이상
내당능 장애		140–199 mg/dL
공복혈당 장애	100–125 mg/dL	

* 내당능 장애, 공복혈당 장애는 당뇨병의 전단계로 운동, 식이 요법 등으로 관리하며, 당뇨병으로 진행 시 약물로 엄격한 혈당관리가 필요

* 정상은 공복혈당 77–99 mg/dL, 식후 2시간 혈당 140 mg/dL 미만

나. BUN (blood urea nitrogen) / Cr (creatinine)

- BUN: 5–20 mg/dL
  urea는 단백과 아미노산의 주요 최종산물로 간에서 urea cycle을 통해 신장으로 배출됨
  - 증가되는 경우
    excess production (tissue breakdown, high protein intake)
    renal blood flow 감소, parenchymal renal damage
    postrenal obstruction of urinary tract

- Cr (creatinine): <1.2 mg/dL
  BUN보다 신 질환에 더 특이적이고 예민한 검사이다.

- BUN/Cr ratio: 10:1–12:1
  - 정상 ratio: renal parenchymal damage (둘 다 높게 나타남)
  - ratio 증가: fever, Gastrointestinal (GI) bleeding, catabolic drug, urine flow 감소
  - ratio 감소: low protein diet, chronic dialysis, severe diarrhea

- renal clearance study
  → urine study 참조

다. 요산(uric acid)

- male: 4.0–8.5 mg/dL, female: 2.7–7.3 mg/dL
  요산은 purine 대사의 주요산물로서 대부분 간에서 xanthine oxidase에 의해 생성
- 증가되는 경우
  renal failure (가장 흔함), ketoacidosis, lactate excess, diuretics, gout

라. LDH (lactic dehydrogenase)

- <200 U/L
  glycolysis system의 최종단계에서 작용하는 효소
  lactate + NAD ——> pyruvate + NADH + H

주로 심장, 골격, 근육, 간, 뇌, 신장, 골격근에 분포함

- 증가되는 경우

  AMI: (12-24hr에 증가, 48-72hr에 peak level, 7-12일간 지속됨)

  Hepatitis

  Pernicious anemia

  Malignant tumor

  Pulmonary embolus

  Hemolysis

** 증가하는 경우는 세포가 파괴되는 거의 모든 경우를 포함할 정도로 비특이적으로 다른 검사결과치와 함께 판단해야 한다.*

❹ Plasma osmolarity

= 2 [serum Na] + [serum Glucose]/18 + [BUN]/2.8

: normal range 258-278 mOsm/L

■ **Osmolar gap**

임상병리검사로 직접 측정된 osmolarity는 위의 식으로 계산된 값보다 크다. 그러나 그 차이가 15 mosm/kg 이상이면 methanol, ethanol, ethylene glycol 음독 등을 의심할 수 있다.

❺ **심근표지자**(Cardiac marker): CK-MB, Troponin I/T, B-type natriutrtic peptide (BNP)

심근경색의 진단요소는 통증의 양상, 심전도 변화 그리고 심근표지자인데, 그중 가장 중요한 것은 심근표지자이다.

- 심전도에서 STEMI를 명확히 보이는 경우보다, 비특이적인 심전도 변화 등 진단이 어려울 때 더 도움이 된다.
- CK-MB는 95%가 심근에 있지만 5%는 골격근에도 존재하므로, Troponin이 심근손상여부를 판단하는 민감도, 특이도가 높다.
- 하지만 그림과 같이 상승의 시간대가 표지지마다 다르므로 보통 2가지 또는 그 이상의 표지자를 함께 측정한다.
- Troponin도 심근 좌상, 심부전, 호흡부전, 폐혈증, 화상 등에서 증가하는 경우가 있다(위양성, False +).
- cuf-off value 이상 상승 시까지 시간이 소요되기 때문에, 1-2시간

간격의 검사를 통해 상승 여부로 급성심근경색을 진단하기도 한다.

- Troponin은 예후와도 관련이 있는데, cut-off value 이상일 때 그리고 수치 상승이 높을수록 예후가 좋지 못하다.
- BNP는 기관에 따라 pro-BNP를 측정하기도 하며, 호흡곤란의 이유가 심장인지, 폐인지를 구별하게 도와주는 매우 유용한 지표이다. 심부전시 증가한다.
- 이들 지표의 참고값은 기관별로 차이가 있으므로 실습병원의 참고값을 직접 확인 바란다.

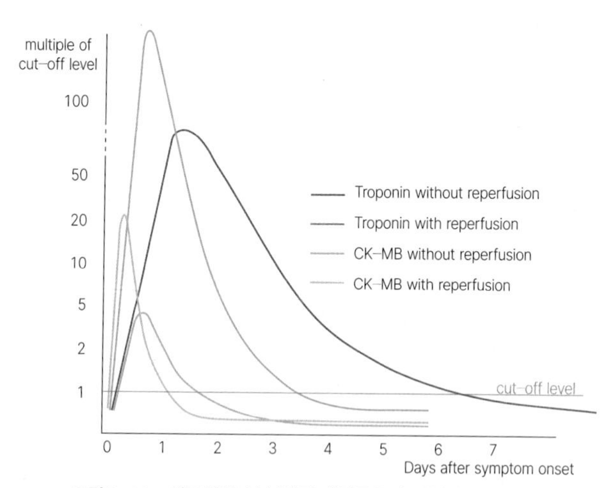

그림 2-11 심근경색 시 시간과 재관류요법 시행여부에 따른 심근표지자값의 변화

(5) 소변검사(Routine Urinalysis)

❶ Appearance (무색에서 짙은 노란색)

- pink/red: blood (hemoglobin), myoglobin이 섞여 나올 때
- foamy: proteinuria, bile salt
- cloudy: Urinary Tract Infection(UTI, pyuria), amorphous phos-

phate urine (normal in alkaline urine), blood, mucus, bilirubin

❷ Specific Gravity (1.003–1.035)

- 증가: volume depletion, CHF, adrenal insufficiency, DM, SIADH, increased urine protein, radiographic contrast media.

** CHF: Congestive heart failure, SIADH: Syndrome of inappropriate antidiuretic hormone*

- 감소: DI, pyelonephritis, glomerulonephritis, waler load

** DI: Drug intoxication*

❸ RBC (male: 0–3/HFP, female: 0–5/HFP)

- positive: urinary stones, tumor in the urinary tract, urethral stricture, coagulopathy, infection, polycystic kidney, interstitial nephritis, hemolytic anemia, transfusion reaction, instrumentation (foley catheter), menses로 인한 contamination, etc.

** 소변 간이검사인 Dipstick test에서 blood(+)이고, 현미경에서 RBC cell이 보이지 않으면, hemoglobinuria (trauma, transfusion reaction, Lysis of RBC) 이거나 myoglobinuria (crush injury, burn, tissue ischemia)를 의심할 수 있다.*

❹ pH (4.6–8.0 or 5.0–6.5)

- 감소(산성뇨) : 고단백식, ammonium chloride, acidosis, ketoacidosis (starvation, diabetics), mandelic acid or other medication, COPD
- 증가(알칼리뇨) : UTI, RTA, 식후, $NAHCO_3$ therapy, vomiting, metabolic alkalosis

** RTA: Renal tubular acidosis*

❺ Proteinuria

정상 성인의 정상치: 150 mg/day 이하
(albumin : 30–40 mg/dL 이하)

Dipstick test만을 측정한 경우 수치가 표시되지 않고, +, ++, +++ 등

비율척도로 결과가 나오는데, 대략적인 양은 다음과 같다.

1+ =30 mg/dL

2+ =100 mg/dL

3+ =300 mg/dL

4+ >2 g/dL

** 뇨단백 검사상(+)인 경우 24시간 소변검사를 해야 하나 간단히 Urine protein/Creatinine ratio를 이용할 수도 있다.*
0.1: 정상, 1: 1 g/day, 2: 2 g/day

- 단백뇨가 나타나는 경우
  - 신증후군(nephrotic syndrome) : 소아 2 g/dL 이상, 성인 3.5 g/dL 이상
  - 생리적 단백뇨physiologic proteinuria (fever, 과다한 운동, 단백식 등)
  - 기립성 단백뇨, pyelonephritis, glomerulonephritis, pre–eclampsia
  - DM, myeloma, lower UTI, malignancy in lower urinary tract, malignant HTN, CHF

❻ Glucose

소변의 glucose는 배설 전 재흡수 돼서 검출되지 않는다. 하지만 재흡수 가능한 양을 넘어서는 glucose 농도 시 소변에서 배설되게 된다.

- positive: DM, pancreatitis, pancreatic Cancer, pheochromocytoma, Cushing' disease, shock, burn, pain, steroid, hyperthyroidism, renal tubular disease, iatrogenic disease

❼ Ketone

- positive: starvation, high–fat diet, DKA, vomiting. diarrhea, hyperthyroidism, pregnancy, febrile state.

** DKA: Diabetic ketoacidosis*

** 특히 당뇨환자에서 소변 ketone 존재 여부 확인이 중요하다.*

❽ Leukocyte esterase, Nitrite

- 두 가지 모두 (+): Urinary tract infection (UTI)의 양성예측도 74%
- 두 가지 모두 (–): Urinary tract infection (UTI)의 음성예측도 97%

⑨ Bilirubin, Urobilinogen

- Bilirubin (+) : biliary tract 폐쇄 의미(obstructive jaundice 또는 hepatitis)
- Urobilinogen (+) : bilirubin의 생산 증가를 의미(normal : trace)
- positive : cirrhosis, CHF with hepatic congestion, hepatitis, hyperthyroidism, suppression of gut flora

⑩ Urine Sediment

⑪ Epithelial cell: ATN, necrotizing papillitis etc.

** ATN: Acute tubular necrosis*

⑫ Casts: 콩팥 자체에 병변이 있음을 의미

⑬ Crystal

- normal: oxalate, uric acid, calcium carbonate, triple phosphate.
- abnormal: cystine, sulfonamide, leucine, tyrosine, cholesterol.

⑭ Mucus: 많은 양이 있으면 요도의 질병을 의미.

⑮ Glitter cell: hypotonic solution에서 용해된 WBC

■ CREATININE CLEARANCE (=GFR)

** GFR: Glomerular Filtration Rate*

24hr urine에서 그 안에 들어 있는 24시간 동안의 UCr (Urine creatinine clearance)를 측정한다(계산 공식은 생략한다).

– Child: Adult × 1.75m^2 / body surface area

– Normal range: 95–105 mL/min/1.75m^2

GFR을 계산 후 중증도 범주를 5단계로 나누는데, 15 미만시 grade 5로 요독증(Uremia)을 동반한 말기신부전(End Stage Renal Disease, ESRD)에 해당한다.

소변감소(oliguria) 시 급성콩팥손상(AKI)의 prerenal /renal /postrenal 원인을 감별 하기 위해 다음 검사 결과의 도움을 받을 수 있다.

표 2-7 AKI 시 감사결과에 따른 원인감별

Index	Prerenal	Renal (ATN)
FENa	<1.0	>1.0
Uosm	>500	<350
Ucr / Per	>40	<20
UNa	<20	>40
RFI	>1	>1

 # FENa= (UNa/PNa)/(Ucr/Pcr)x 100; Na^+은 renal tubule에서 99%가 재흡수되고 1%만 배설되기 때문에 정상에서의 FE_{Na}은 1.0이 된다. 하지만 ATN인 경우 tubule에서 Na의 재흡수가 장애를 받기 때문에 Na은 정상보다 더 많이 배출되어 결국 FE_{Na}은 1.0 이상이 된다.

(6) 간기능검사(Liver Function Test)

간담도계 질환에 대한 필수적인 검사로 다음과 같은 항목들로 되어 있다.

❶ Scrum Aspartate Aminotransferase (AST. SGOT) (8–20 U/L)

- 증가: AMI, Liver disease, Reye's syndrome, muscle trauma, intestinal injury, burn, cardiac catheterization, brain damage, renal infarction

❷ Scrum Alanin Amintransferase (ALT. SGPT) (8–20 U/L)

- 증가: Liver disease, Liver metastasis, biliary obstruction, pancreatitis, Liver congestion

❸ Alkaline Phosphatase (Adult: 20–70 U/L, child: 20–150 U/L*)

- 증가: biliary obstruction, increase calcium deposition in bone, Paget's disease, osteoblastic, bone tumor, osteomalacia, rickets, pregnancy, biliary obstruction
- 감소: Malnutrition, excess vitamin D ingestion

** 소아에서는 정상적으로 증가되어 있음을 유념해야 한다.*

❹ Bilirubin

- Total bilirubin: 0.3–1.0 mg/dL
- Direct bilirubin: <0.2 mg/dL
- Indirect bilirubin: <0.8 mg/dL
- Total bilirubin 증가: Hepatic damage, biliary obst., hemolysis, fasting

- Direct bilirubin 증가: Biliary obst., drug–induced cholestasis, Dubin–Johnson and Rotor's syndromes
- Indirect bilirubin 증가: Hemolysis, Gilbert's Dz, Physiologic jaundice of newborn, Crigler–Najjar syndrome

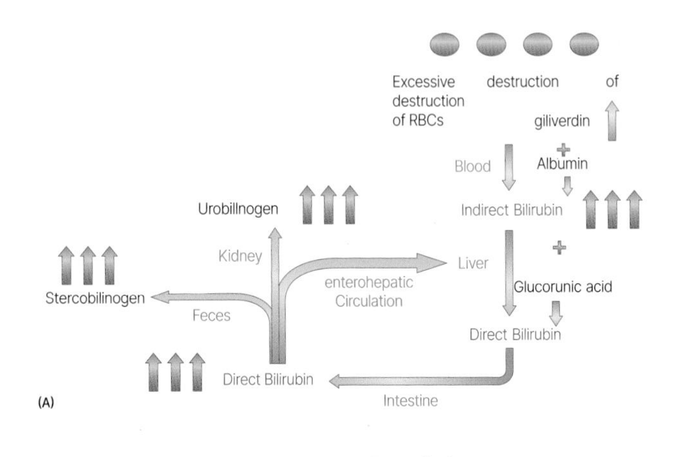

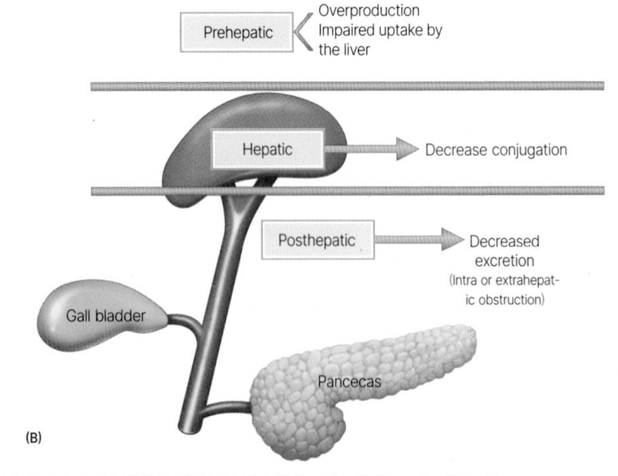

그림 2-12 (A) 빌리루빈(Bilirubin)의 대사, (B) 황달(Jaundice)의 구분

❺ Serum Gamma–Glutamyl Transpeptidase (rGTP. SGGT)

- Male: 9–50 U/L, Female: 8–40 U/L
  대개의 경우 간질환에서 serum alkaline phosphatase, 5'nucleotidase와 병행하여 변화한다.
- 증가: Liver disease (alcoholic hepatits, cirrhosis, obstructive jaundice), pancreatitis

** rGTP는 ALP와 함께 담도계의 obstruction에 의한 간담도염(cholangitis)진단에 도움이 된다. 담낭염(Cholecystitis)에서는 ALP, rGTP 상승이 없습니다. 또한 rGTP는 alcoholic hepatitis에서도 특징적으로 상승한다.*

❻ Albumin (adult: 3.5–5.0 g/dL, child: 3.8–5.4 g/dL)

- 감소: Liver cirrhosis, malnutrition, overhydration, nephrotic syndrome, cystic fibrosis, mutiple myeloma, leukemia, hyperthyroidism

❼ Gamma–globulin (5–15 g/L)

- 만성간염과 간경변의 진단과 추후 관리에 필요

❽ Albumin/Globulin Ratio (Normal: >1)

- 감소: cirrhosis, liver disease, nephrotic syndrome, chronic glomerulonephritis, cachexia, chronic infection, myeloma

❾ PT (prothrombin Time), aPTT (Activated partial thromboplastin time)

- AST/ALT 등의 효소 수치보다 간기능 또는 손상정도를 잘 반영한다.

❿ Hepatitis viral marker

표 2-8 Viral marker의 해석

HBsAg	anti–HBc (IgM)	anti–HBc (Total)	anti–HCV	Interpretation
+	–	+	–	Chronic hepatitis B
–	+	+	–	Acute hepatitis B
+	+	+	–	Acute hepatitis B
–	–	+	–	Past hepatitis B infection
–	–	–	+	Hepatitis C
–	–	–	–	Early hepatitis C or other cause

5) 기타

(1) 뇌척수액(CerebroSpinal Fluid, CSF) 분석

표 2-9 뇌척수액(CSF) 분석 결과의 해석

	Nomal	Viral	Bacterial	Tb	SAH (Sub-arachnoid hemorrhage)
appear-ance	clear	usually clear/turbid	turbid/ prulent	turbid/ viscous	Blood stained/ Xan-thochromic (yellowish)
opening pressure	50–250 mm of water	normal	normal/ elevated	normal/ elevated	elevated
WBC count (x10^6/L)	0–4	10–2,000: lym-phocyte dominant	1,000–5,000: PMNs dominant	50–5,000: lym-phocyte dominant	normal: slightly increased
Glucose	50–60% blood glucise	>50% blood glucose	<50% blood glucose	<50% blood glucose	Normal
Protein	0.2–0.4 g/L	0.4–0.8 g/L	0.5–2.0 g/L	0.5–3.0 g/L	increased
Microbiolo-gy	Sterile	Usually Sterile	Organism on gram stain/ culture	positive Ziehls–Nielsen stain	Sterile

(2) 흉막액(pleural fluid) 분석

표 2-10 삼출액(transudate)과 누출액(exudate)의 감별

	Transudate	Exudate
Appearance	Clear	Cloudy
Protein (g/dL) (p/s ratio)	<3.0 (<0.5)	>3.0 (>0.5)
LDH (IU) (p/s ratio)	<200 (<0.6)	>200 (>0.6)
WBC	<1,000/mm^3 lymphocytes dominant	>1,000/mm^3
Glucose	the same as serum	may be decreased

* p/s ratio: pleural fluid/serum ratio

2 동맥혈가스분석(ABGA)의 해석

1) 정상값과 범위

(1) 정상값과 범위

❶ 정상범위

pH: 7.35–7.45

$PaCO_2$: 35–45 mmHg

❷ 허용 치료범위

pH: <7.30 & >7.50

$PaCO_2$: <30 mmHg & >50 mmHg

cf. pH >7.5 – alkalosis

pH <7.3 – acidosis

$PaCO_2$ >50 mmHg – Respiratory acidosis

$PaCO_2$ <30 mmHg – Respiratory alkalosis

❸ PaO_2

정상치: 97 mmHg

정상 허용범위 : 80 – (age – 60)
e.g.) 만약 나이가 60세일 경우: 80 mmHg까지
만약 나이가 70세일 경우: 70 mmHg까지

(2) $PaCO_2$ – pH 관계

Alveolar Ventilation에 따라 $PaCO_2$가 변화하고 그에 따른 혈장 H_2CO_3의 양에 의해 pH가 결정된다.

e.g.) $PaCO_2$ 10 mmHg 증가 시: pH 0.08 unit 하강
$PaCO_2$ 10 mmHg 감소 시: pH 0.08 unit 상승

(3) BUFFER – pH 관계

Buffer 10 mEq/L 변화는 pH 0.15 unit 변화를 유발한다.

cf. 염기 과잉(Base Excess)
: 정상 탄산가스 분압($PaCO_2$40 mmHg)과 정상체온(37℃)에서 혈액pH를 측정하고 이것을 염기로 적정하여 정상 PH 7.4로 만드는데 소요된 염기의 양으로 + 또는 –를 반대로 하면 염기결핍(Base Deficit)이다. 간단한 검사이지만 쇼크환자의 중증도와 예후 예측에서 자주 사용된다.
(–): metabolic acidosis
(+): metabolic alkalosis
정상범위: –2 ~ +2 mEq/L

(4) 산-염기균형 조절기전

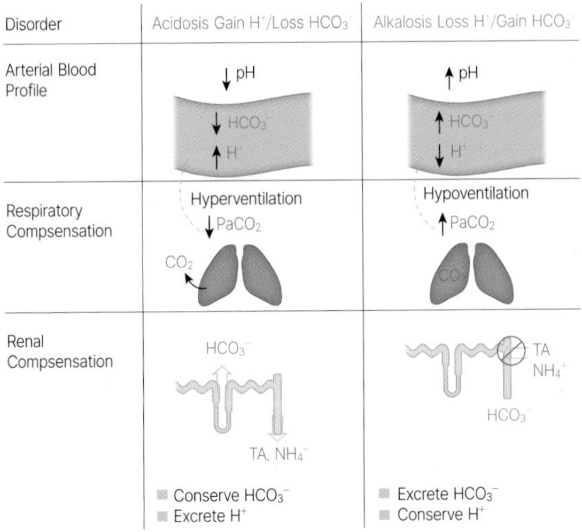

Disorder	Acidosis Gain H^+/Loss HCO_3^-	Alkalosis Loss H^+/Gain HCO_3^-
Arterial Blood Profile	↓pH ↓ HCO_3^- ↑ H^+	↑pH ↑ HCO_3^- ↓ H^+
Respiratory Compensation	Hyperventilation ↓ $PaCO_2$ CO_2	Hypoventilation ↑ $PaCO_2$ CO
Renal Compensation	HCO_3^- TA, NH_4^+ ▪ Conserve HCO_3^- ▪ Excrete H^+	TA NH_4^+ HCO_3^- ▪ Excrete HCO_3^- ▪ Conserve H^+

그림 2-13　대사장애

2) ABGA의 해석

(1) 순서

ECG가 그러하듯, ABGA 역시 처음에 모든 것을 파악하려 하지 말고, 다음과 같이 순차적으로 해석한다.

Step 1

첫째로 1차 장애가 acidosis인지 (pH <7.35) 혹은 alkalosis (pH >7.45)인지를 확인한다.

Step 2

1차 장애가 metabolic 인지 respiratory를 확인한다. 예를 들어 blood gas가 acidosis, 그리고 $PaCO_2$ >40 mmHg & HCO_3^- >24 mmol/L일 경우 respiratory acidosis임을 알 수 있다. 또한 만약 $PaCO_2$ <40 mmHg & HCO_3^- <24 mmol/L이라면 metabolic acidosis라는 것을 알 수 있다.

Step 3

1차 장애 무엇인지 확인한 후, 아래의 테이블을 이용하여 기대되는 보상반응을 계산한다. 만약 실제 측정된 값과 계산된 값과의 차이가 크면, 산 염기장애가 혼합된 Mixed acid-base disturbance가 있음을 추정할 수 있다.

Step 4

임상적인 증상과 ABGA 결과를 비교하여 분석한다. 실제 임상에서 가장 중요한 단계이다.

표 2-11 대사장애에 따른 ABGA결과와 보상반응

	pH (7.35-7.45)	1차 변화	2차 보상반응	반응과 보상정도 계산	흔한 원인
Metabolic acidosis	↓	HCO_3^- ↓	$PaCO_2$ ↓	Hyperventilation Expected $PaCO_2$ = 1.5 (serum HCO_3^-) = 8 ± 2	AKI, CKD, Shock, DKA
Metabolic alkalosis	↑	HCO_3^- ↑	$PaCO_2$ ↑	Hypoventilation $\Delta PaCO_2$ $= 0.7 \times \Delta HCO_3^-$	Persistent Vomiting, Hypokalemia
Respiratory acidosis	↓	$PaCO_2$ ↑	HCO_3^- ↑	Acid excretion & HCO_3 reabsorption ↑ Acute: ΔHCO_3^- $=0.1 \times \Delta PaCO_2$ Chronic: ΔHCO_3^- $=0.3 \times \Delta PaCO_2$	COPD, Asthma exacerbation, Heart failure
Respiratory alkalosis	↑	$PaCO_2$ ↓	HCO_3^- ↓	Acid excretion & HCO_3 reabsorption ↓ Acute: ΔHCO_3^- $=0.2 \times \Delta PaCO_2$ Chronic: ΔHCO_3^- $=0.4 \times \Delta PaCO_2$	Hyperventilation, Pain, Anxiety

호흡곤란으로 내원한 COPD 환자의 ABGA 결과

Step 1

pH: 7.32, $PaCO_2$: 55 mmHg, HCO_3^- : 29 mEq/L

Step 2

pH가 7.35 이하이므로 acidosis.
acidosis가 되려면 $PaCO_2$(산)가 감소하거나, HCO_3^-(염기)가 감소해야한다. 여기서는 1차적으로 $PaCO_2$(산)이 증가하고, 2차적으로 HCO_3^-(염기)는 증가했으므로 $PaCO_2$ > 40에 의한 'Respiratory acidosis'

Step 3

정상 보상(compensation)의 계산

$\Delta[HCO_3^-] = 0.3 \times \Delta PaCO_2 = 0.3 \times 15 = 4.5$

Expected $[HCO_3^-]$ is 24 mEq/L + 4.5 = 28.5

이 값은 측정된$[HCO_3^-]$의 29 mEq/L와 거의 비슷하다.

따라서 이 값은 Simple Respiratory acidosis이다.

실제로는 계산식을 이용하는 경우는 많지 않고, 수치로 직관적으로 파악하는데, 1차 변화에 대해 2차 보상성 변화는 같은 방향으로 일어난다. 증가하면 증가하고, 감소하면 감소하고. 즉, $PaCO_2$(산)이 증가하고, 2차적으로 HCO_3^-(염기)도 증가했으므로, Simple이라고 해석해도 된다.

Step 4

이 환자는 hypoventilation에 의한 chronic respiratory acidosis이다.

** $PaCO_2$가 증가하는 경우는 숨을 잘 못 쉬어 CO_2배출을 잘 못하는 경우라고 보면 된다.*

■ **ABGA를 이용한 호흡 부전(Respiratory Failure)의 진단**

❶ 저산소성(Hypxemic) – FiO_2 0.6 이상에도 PaO_2 40 이하

❷ 고탄소성(Hypercarbic) – acute: $PaCO_2$ >50, PH <7.3
chronic: $PaCO_2$ >50, PH >7.3

Example 1)의 환자는 chronic respiratory failure에 해당한다. 호흡부전 시 acute와 chronic의 구별은 중요한데, $PaCO_2$의 증가만 보고, 환기를 도와주려는 목적으로 NIV나 endotracheal intubation을 처음부터 시도할 필요가 없다.

** NIV: Non-Invasive ventilation*

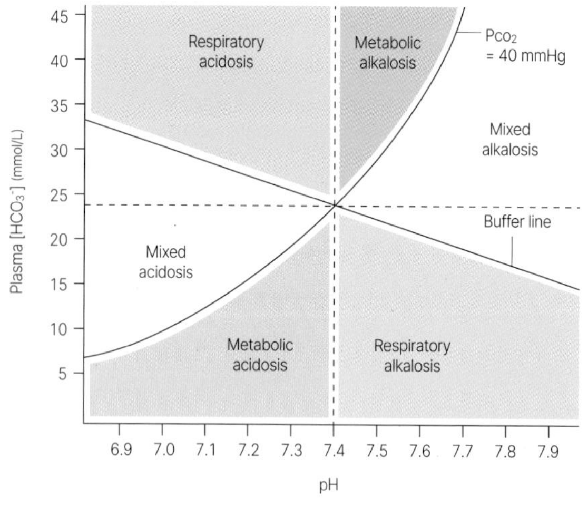

그림 2-14 산-염기 계산도표 (Acid-Base Nomogram)

Example 2

호흡곤란과 지속적인 오심과 구토를 호소하는 환자의 ABGA 결과

Step 1

pH: 7.55, $PaCO_2$: 25 mmHg, HCO_3^-: 25 mEq/L

Step 2

pH가 7.45 이상이므로 alkalosis이다.
alkalosis가 되려면 $PaCO_2$(산)가 감소하거나, HCO_3^-(염기)가 증가해야 하는데 여기서는 $PaCO_2$(산)는 감소하고, HCO_3^-(염기)는 증가했다.

$PaCO_2$ <40에 의한 'Respiratory alkalosis'
HCO_3^- >24에 의한 'Metabolic alkalosis'

Step 3

$PaCO_2$가 1차 변화라고 가정하고 보상(compensation)을 계산해봐도

$\Delta HCO_3^- = 0.4 \times \Delta pCO_2 = 0.4 \times 15 = 6$

계산된 HCO_3= 24 − 6 = 18 mmol
즉 18이 나와야 하나 실제 측정값은 25 mmol이다.

** 계산식을 이용하지 않고, 직관적으로 파악해보면, 1차 변화에 대해 2차 보상성 변화는 같은 방향으로 일어난다. 증가하면 증가하고, 감소하면 감소하기 때문에. 즉 $PaCO_2$(산)이 감소 시, 2차적으로 HCO_3^-(염기)도 감소해야 하지만 작은 폭이지만 25로 오히려 증가하였으므로, metabolic alkalosis라고 해석할 수 있다. 조금 어렵지만, 만약 HCO_3^-=22이라고 가정해도 계산된 18보다 크므로 이때는 relative metabolic alkalosis라고 한다.*

Step 4

hyperventilation에 의한 respiratory alkalosis,
vomiting에 의한 metabolic alkalosis.
즉 mixed respiratory and metabolic alkalosis.

(2) 저산소혈증(Hypoxemia)의 평가

- Mild Hypoxemia: PaO_2 <80 mmHg
- Moderate Hypoxemia: PaO_2 <60 mmHg
- Severe Hypoxemia: PaO_2 <40 mmHg

  cf. $PaO_2 = FiO_2 \times 5$

  Room air에서 FiO_2는 0.2 (20%)

  따라서 정상적인 사람의 room air에서의 PaO_2= 100 mmHg

표 2-12 SpO_2의 해석과 처치

SpO_2	Interpretation	Intervention
95–99%	Normal	Supplemental O_2 delivery in case of shortness of breath
91–94%	Mild hypoxemia	Supplemental O_2 delivery to normal SpO_2
86–90%	Moderate hypoxemia	Supplemental O_2 delivery, Assisted ventilation if needed
<85%	Severe hypoxemia	Supplemental O_2 delivery, Assisted ventilation if needed

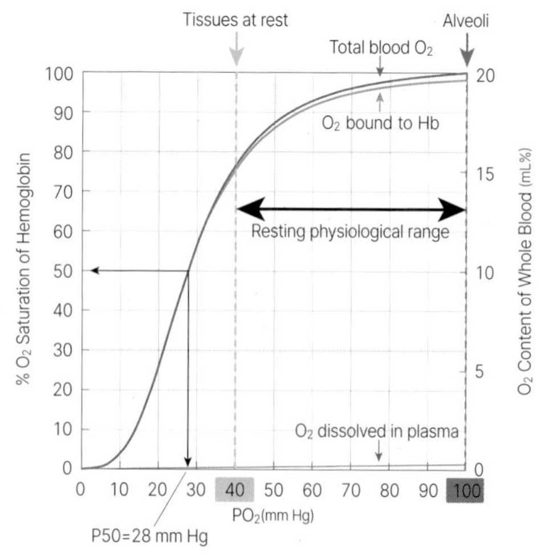

그림 2-15 산소 헤모글로빈 해리곡선과 폐포(alveolar)와 조직(Tissue)에서의 차이

■ **조직의 산소화 평가**

❶ Tissue oxygen saturation (StO_2) monitoring – near-infrared spectroscopy 이용

❷ Central venous O_2 saturation ($ScvO_2$) monitoring – oximetric catheter 이용

** StO_2, $ScvO_2$의 목표: 60-70%*

❸ lactate, base deficit 측정

3) 산-염기 균형의 교정

일반적으로 acidosis의 교정은 Bivon®이라는 이름의 Bicarbonate제재로 한다. 먼저 환자에게 부족한 Bicarbonate양을 계산하고 계산된 양의 1/2만을 통상적으로 투여한다.

$$\text{Base Deficit} \times \text{Body Weight} \times 1/4 = \text{부족한 양}$$

이를 환자에게 줘야 할 Bicarbonate의 양으로 바꾸면 BE × Body Weight × 1/8이고, Bivon® 1 ample (20 mEq)를 사용하므로 Base Deficit × Body weight × 1/160 하면 환자에게 줘야 할 ample 수가 나온다.

예) Base Deficit = 8, Body Weight = 20 Kg인 환자의 교정할 Bicarbonate의 양은?

$8 \times 20 \times 1/8 = 20$ mEq of Bicarbonate

or

$8 \times 20 \times 1/160 = 1$ ample of Bivon

5) 음이온차(anion GAP)

(1) 정의

❶ Anion gap이란 측정되지 않은 음이온(unmeasured anion)과 측정되지 않은 양이온(unmeasured cation)의 차이이다.

unmeasured anion – unmeasured cation = $[Na^+] + [K^+]$ –

$[HCO_3^-] - [Cl^-]$

❷ **위의 식은 어떻게 유도한 것일까? 우리 몸이 전기적으로 중성이라는 사실에서 유도된 것이다.**

[Na^+와 K^+같은 측정된 양이온(measured cation)과 측정되지 않은 양이온(unmeasured cation)의 합]은, [Cl^-과 HCO_3^-같은 측정된 음이온(measured anion)과 측정되지 않은 음이온(unmeasured anion)의 합]과 같다.

즉, $[Na^+] + [K^+] + [\text{unmeasured cation}] = [HCO_3^-] + [Cl^-] + [\text{unmeasured anion}]$에서 유도된 것이다.

(2) Anion gap의 임상적 의의

❶ 주로 normal anion gap hyperchloremic metabolic acidosis와 increased anion gap normochloremic metabolic acidosis를 구분하는데 사용된다.

❷

가. normal anion gap metabolic acidosis:

HCl 첨가의 경우가 대표적인 예로

$HCl \leftrightarrow H^+ + Cl^-$

H^+를 중화하기 위해 동량의 HCO_3^-를 소모하고, Cl^-이 동량 증가하므로 $[Na^+] + [K^+] - ([HCO_3^-]\downarrow + [Cl^-]\uparrow)$과 같이 되어 anion gap에는 변화가 없게 된다.

나. increased anion gap metabolic acidosis:

DKA (Diabetic Ketoacidosis)가 대표적인 예로

$HA \leftrightarrow H^+ + A^-$ (A^-: lactate, ketone 등)

$[Na^+] + [K^+] - ([HCO_3^-]\downarrow + [Cl^-])$과 같이 되므로 anion gap은 증가된다.

아스피린(salicylate), 메탄올(methanol), 에탄올(ethanol) 음독 시에도 anion gap이 증가한다.

다. RTA (Renal Tubular Acidosis):

renal tubule에서 HCO_3^-를 잃고 H^+를 배설하지 않은 상태에서

HCO_3^-가 Cl^-과 치환되어 normal anion gap hyprechloremic metabolic acidosis로 나타난다.

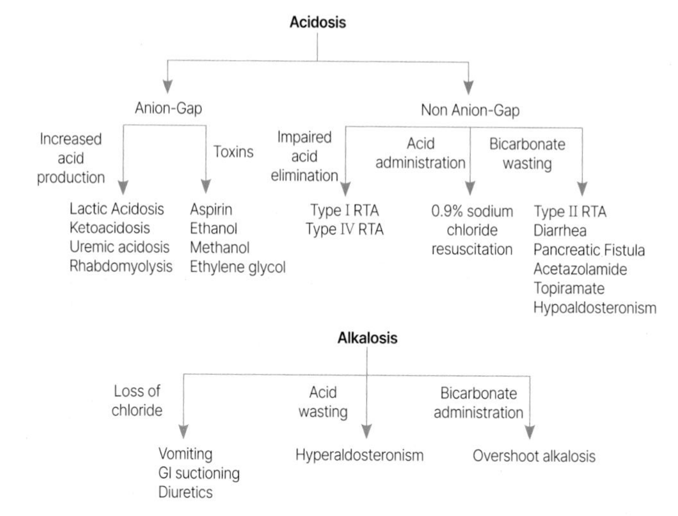

그림 2-16 원인과 기전에 따른 대사성 산-염기 장애 분류

하나의 사례로 살펴봅시다. 아래 그림은 흔하게 보는 산소-헤모글로빈 해리 곡선입니다. 국가고시에도 단골로 출제되기 때문에 대부분 학생에게 익숙합니다. 이 그래프를 한번 임상지식에 응용해 보겠습니다.

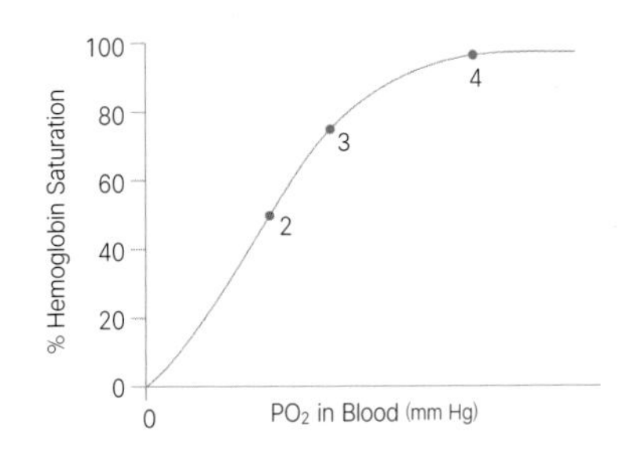

이 그래프는 선형이 아닙니다. 가장 오른쪽에서부터 좌측으로 동맥혈 산소분압이 감소하면 산소 포화도도 감소하나, 구간에 따라 그 감소의 정도가 다릅니다. 처음에는 동맥혈산소분압이 99%, 98%, 97%…. 이렇게 매우 천천히 감소하나 4번 구간 (대략 동맥혈산소분압이 60 mmHg, 산소포화도 90%)을 지나면서 경사도가 급해지고, 3에서 2구간까지는 마치 절벽 아래로 떨어지는 듯 급격히 감소한다. 모니터에 표시되는 수치가 85%, 83%, 80%,

75%…. 이렇게 급격히 감소할 수 있습니다. 여기에 있습니다. 그리고 좀 더 안전한 구간설정을 하여 94% 미만부터 저산소증이라고 판단합니다.

기관내삽관을 할 때 좀 어울리지 않는 행동이 있는데, 30초 카운트입니다. 산소포화도 100%에서부터 90%까지 떨어지는 시간을 30초로 가정한 걸로 추정되는데 그 기원을 찾기가 힘듭니다. 실제로 30초를 세는 행동은 맥박산소포화도 측정기가 개발되기 전에 나온 것으로 추정합니다. 즉, 30초를 세는 행동은 근거가 거의 없으며, 맥박산소포화도 측정기를 이용하여, 저산소증에 노출을 최소화하며 기관내삽관 시도를 하는 것이 맞습니다. 또한 삽관전 과환기를 하여 동맥혈 산소분압을 100 mmHg 이상으로 높이면 4번 구간까지 도달하는 속도를 더욱 늦추어 30초 이상 기관내삽관을 시도할 수도 있습니다. 반대로 삽관전 산소화를 하지 않고 삽관을 시도하면 수초 내에 4번 또 3번 구간까지 이를 수 있습니다.

위 그래프는 전문기도유지를 어떻게 시도해야 하는지에 대해 많은 부분을 시사하고 의사결정을 내리는 데 도움을 줍니다. 뿐만 아니라 이 그래프는 쇼크 시에 pH가 떨어지면서 조직 내 산소운반이 어떻게 되는지, 최근에 중환자 감시의 중요 지표인 조직 내 산소포화도 결과를 어떻게 해석해야 하는지에 대한 통찰력도 제공해줍니다.

이렇게 기초의학은 임상과 밀접한 연관이 있습니다.

PART

3
영상 검사

Radiologic Examination

병원 **의무기록**과
진단검사의 이해

3장 영상 검사에서는 영상의학에서 사용하는 용어, 영상 검사의 종류 그리고 흔히 관찰할 수 있는 영상검사를 소개하겠다.

1 기본 지식

1) 용어

흑백 음영으로 표현되는 영상 검사는 검사 방법에 따라 검체를 묘사하는 단어에 차이가 있다.

표 3-1 영상검사에 따른 흑백 음영의 표현

	white lesion	black lesion
Simple X-ray	radiopaque	radiolucent
CT scan	hyperdense	hypodense
MRI scan	high signal	low signal
Ultrasonogram	hyperechoic (echogenic)	hypoechoic (echo-poor)
Nuclear medicine	increased uptake (hot uptake)	decreased uptake (cold uptake)

2) 4가지 기본 음영

X-ray 영상은 bone, water, oil, air의 4가지 기본적인 음영을 구별한다.

White ↑ ↓ Black

- bone 음영: skeleton, calcification, 금속성 이물질
- fluid 음영: muscle, 실질장기(solid organ)
- oil 음영: fat
- air 음영: 인체 내 gas

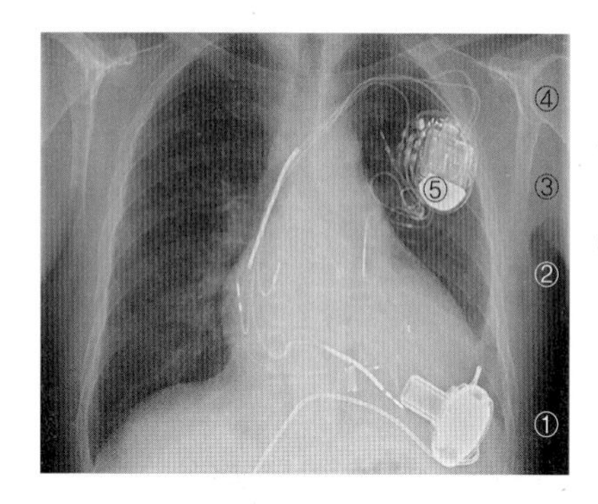

단순 방사선 영상에서 구별되는 5개 음영. 밝아지는 순서대로 ❶ 공기, ❷ 지방, ❸ 연조직, ❹ 뼈, ❺ 금속.

2 가슴단순촬영 (Plain/Simple Chest X-ray)

통상적인 단순 가슴 방사선 영상은 Chest PA와 Left lateral로 구성된다.

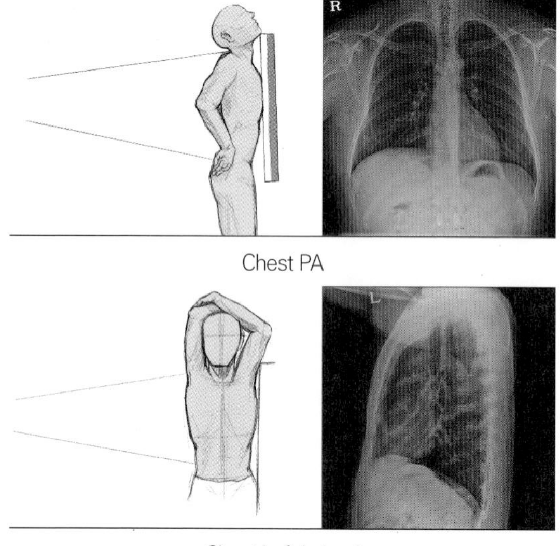

Chest PA

Chest Left Lateral

** 검사 목적에 따라 (예를 들어 소아) Chest Right Lateral을 촬영하기도 한다.*

하지만 중환자실이나 응급실 등 환자 이동이 어려운 경우 환자의 침상 옆에서 포터블 장비를 이용하여 Chest AP를 촬영하는 경우도 많다.

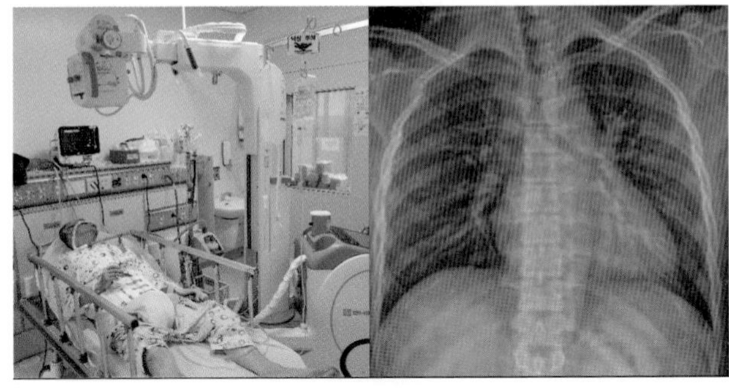

Chest AP

서서 가슴을 필름에 대고 숨을 들이 마신 상태에서 촬영하는 Chest PA에 비해 Chest AP는 침대에 환자가 눕거나 반좌위 자세에서 환자의 등에 필름을 놓고 바로 찍게 되므로, 심장의 음영이 더 크게 보이고, 어깨뼈와 상완골이 가슴에 더 가깝고(adduction), 횡격막이 더 위로 올라오는 경우가 많다. 따라서 실제 심장비대를 감별하기 어렵고, 또 공기가 위로 뜨는 특성 때문에 공기가슴증을 놓칠 수 있다.

1) 판독 방법

특별한 원칙은 없으나 대개 chest의 중심부(central)에서 주변부(peripheral)로 또는 주변부(peripheral)에서 중심부(central)로 읽어 나간다.

 # 중심(central)부에서 주변(peripheral)부로 읽는 예

❶ 심장 음영(heart shadow)
❷ 폐 실질(lung parenchyma)
❸ 양쪽 늑골횡격막각(costo-phrenic angle)
❹ 연부조직밀도(soft tissue density)
❺ 가슴 골격(bony thorax)

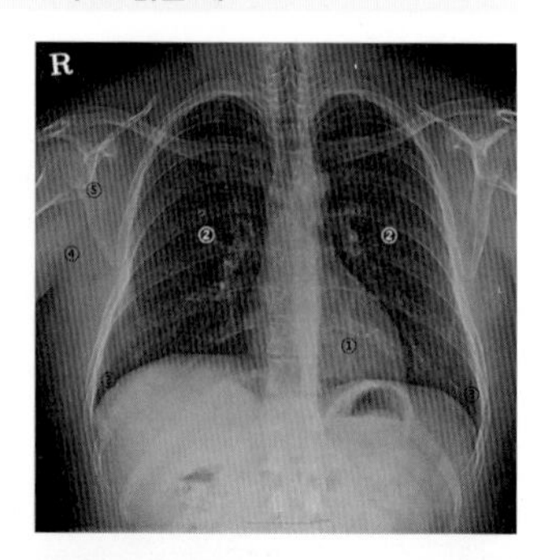

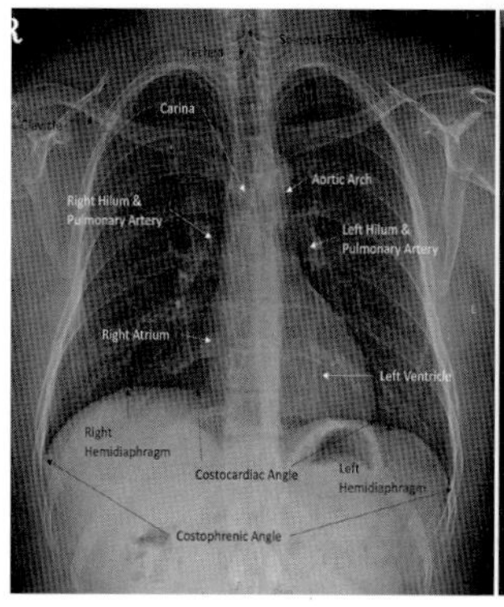

Chest PA

Chest Lt. lateral

2) 판독 예시

(1) 심장음영(Heart shadow)

❶ 확인 항목

- 심장 비대, 심장의 모양
- 비정상 석회화
- 대혈관 음영 등

❷ 심장 비대 (Cardiomegaly)

- 성인에서 cardiothoracic (CT) ratio가 0.5 이상
- 소아에서는 0.6이 넘어도 대개 정상으로 간주

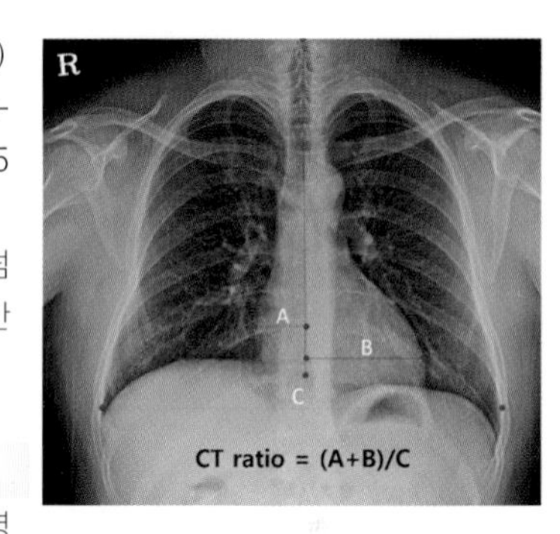

 # 심장 비대 (cardiomegaly)

물병 모양으로 큰 심음영이 보이는 경우로, 심부전(heart failure) 시 cardiomegaly가 흔히 보이고, 심낭삼출(Pericardial effusion)에서는 CT ratio가 거의 1에 가까운 경우도 있다.

(2) 폐실질 (Lung parenchyma)

폐포(alveolar)의 이상소견인지,사이질(interstitial)의 이상소견인지를 구분해서 판독한다.

** 병변을 기술할 때 흔히 사용되는 용어는 참조하면 된다.*

❶ 폐포 이상소견

가. 경화(consolidation)

폐포 내의 공기가 이물질, 염증 부산물, 부종 또는 종양조직에 의해서 치환된 것.

- rosette(작은 꽃송이 모양)
- diffuse homogeneous density (white)
- 공기기관지조영상(air bronchogram) : 폐포가 다른 물질로 대체되면서 기관지내에 공기 음영이 나타나는 현상(black in white)

나. 무기폐(atelectasis)

폐포 내의 공기가 빠져버린 상태

- lung density의 증가(white)
- 엽사이틈새 (interlobar fissure)의 이동

- pulmonary vessels의 집중

다. 폐기종(emphysema)

폐포 내 공기량이 병적으로 증가되어 폐가 과팽창된 상태이며, 원인으로는 기관지 폐색과 대상성 폐기종 등이 있다.

- lung density가 radiolucent 해짐(black)
- 엽사이틈새 (interlobar fissure)의 이동
- pulmonary vessels의 확산

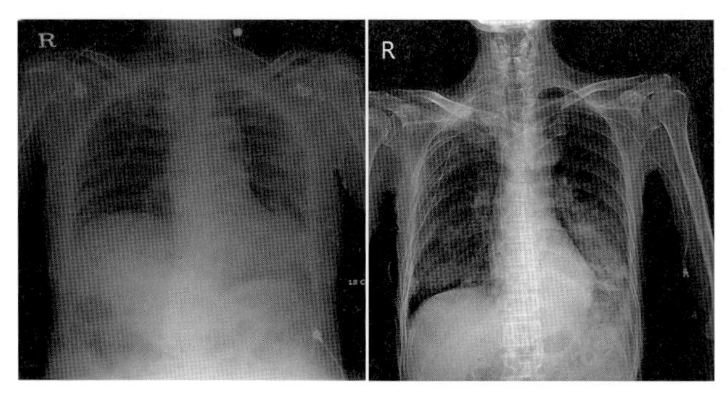

경화(consolidation)-focal　　경화(consolidation)-diffuse

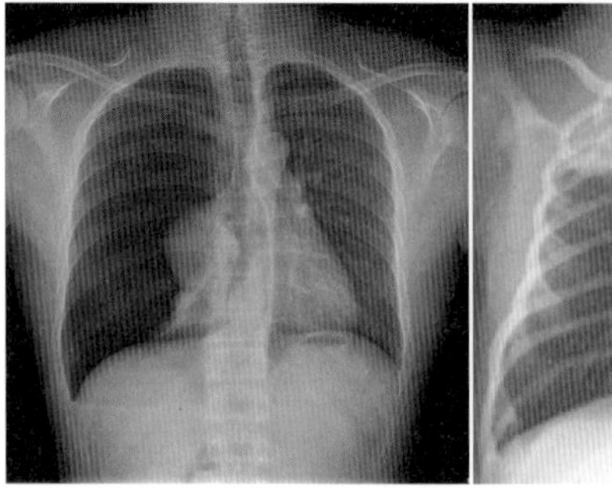

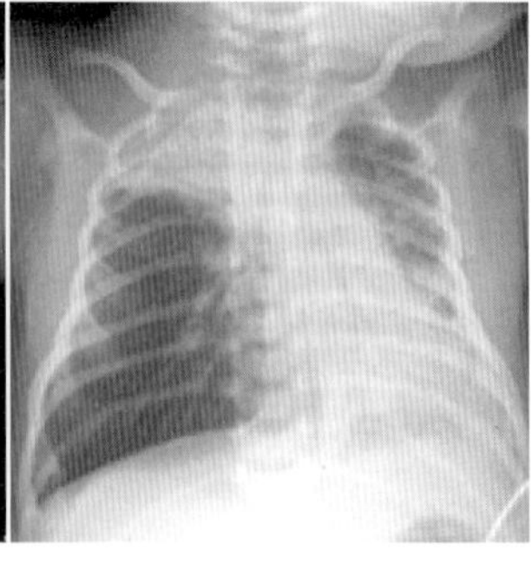

무기폐(atelectasis)-right lung　　무기폐(atelectasis)-right upper lobe(RUL)

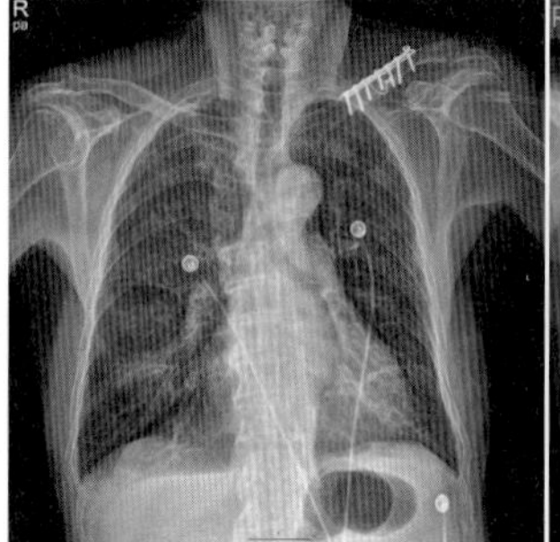

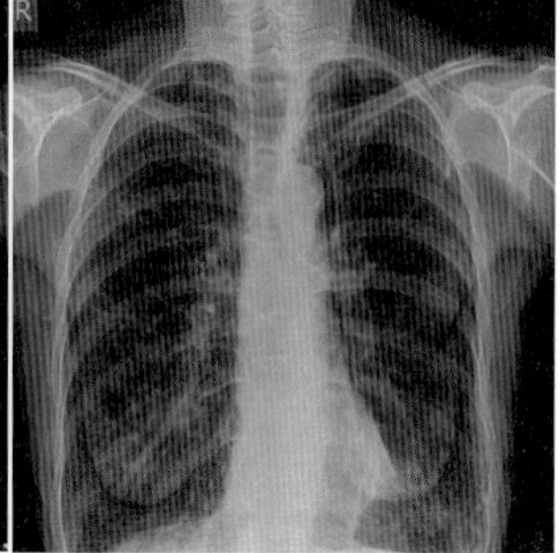

무기폐(atelectasis) - focal 폐기종(emphysema)

❸ 간질 이상소견

가. 혈관주변 사이질(perivascular interstitium)

- 폐혈관 음영이 흐릿하고 거칠어짐
- Kerley B line

나. 실질 사이질(parenchymal interstitium)

여러 가지 모양

- nodular opacity
- reticular opacity
- reticular nodular opacity
- ground-glass opacity (GGO) - consolidation과 유사하나 혈관음영은 관찰되는 경우

 # Septal line, Kerley's line

: 부종(edema), 감염(infection) 등에 의해 소엽사이중격(interlobular septum)이 두꺼워지며 x-ray에서 관찰되는 경우

A line은 문(hilum)에서 방사상으로 분포하고

B line은 늑골횡격막각(costophrenic angle)에 가깝게 보이는 가로 직선 모양의 수개의 음영을 의미하며

C line은 아래 폐야에 보이는 reticular density를 의미한다.

** Kerley's B line을 가장 흔하게 관찰할 수 있다.*

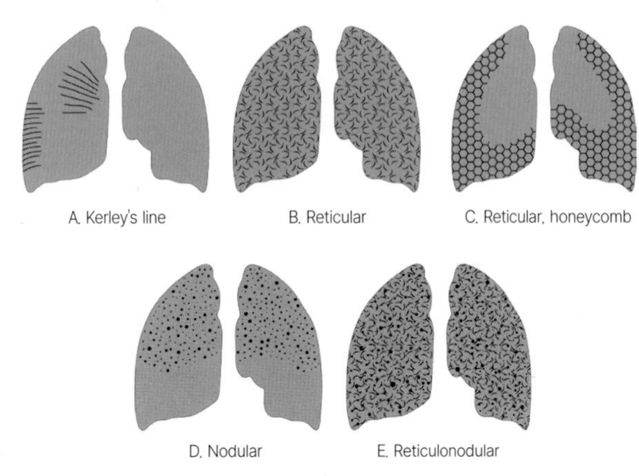

그림 3-1 간질 이상 소견의 묘사

3) 흔하게 관찰되는 질환들

(1) 폐와 흉막(Lung and Pleura)

❶ 정상 폐실질보다 하얗게 보이는 질환들

가. Pneumonia – focal / diffuse

나. Atelectasis

다. Cavity (abscesses, fungal pneumonia, TB, Tumor 등)

라. Pleural effusion/ Hemothorax

마. Congestive heart failure with pulmonary edema

바. Chronic interstitial lung disease

사. Nodule (<3 cm) / Mass (>3 cm)

❷ 정상 폐실질보다 까맣게 보이는 질환들

가. Pneumothorax / Tension pneumothorax

나. Emphysema

다. Pulmonary embolism

(2) 종격동(Mediastinum)

❶ Aortic dissection
❷ Pneumomediastinum/pneumopericardium
❸ Cardiomegaly

(3) 흉벽(Chest Wall)

❶ Rib fracture
❷ Subcutaneous emphysema

(4) 횡격막(Diaphragm)

❶ Rupture
❷ Hiatus hernia

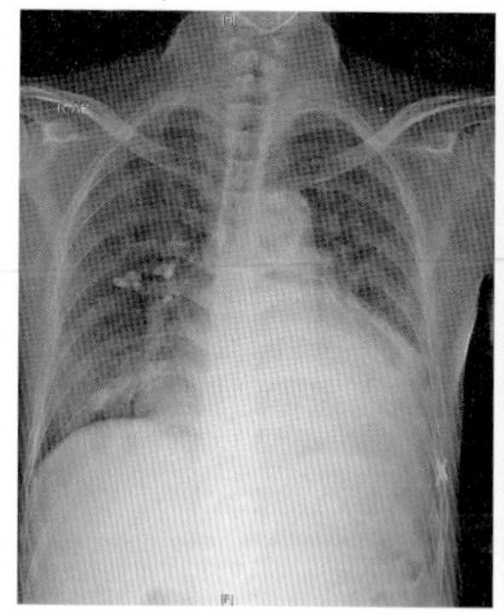

폐렴(pneumonia)–right lower lobe(RLL)

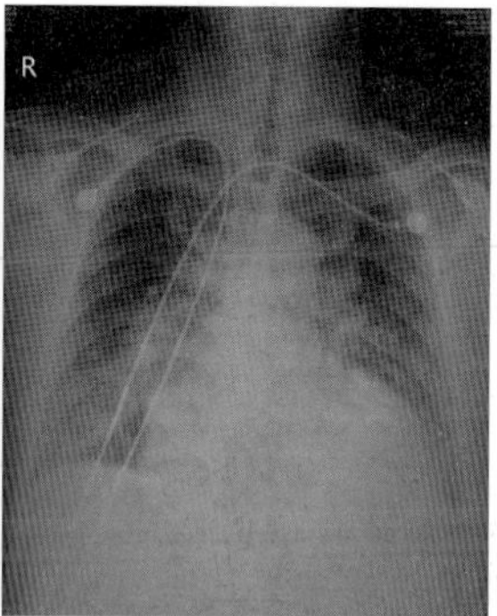

폐부종이 동반된 심부전 (congestive heart failure with pulmonary edema)

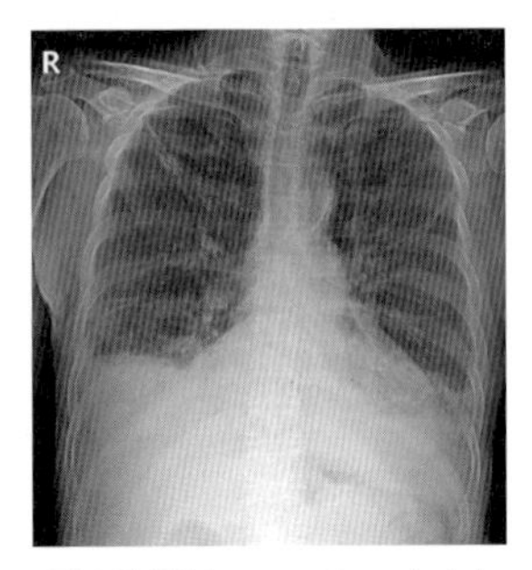

가슴막삼출(pleural effusion)-right

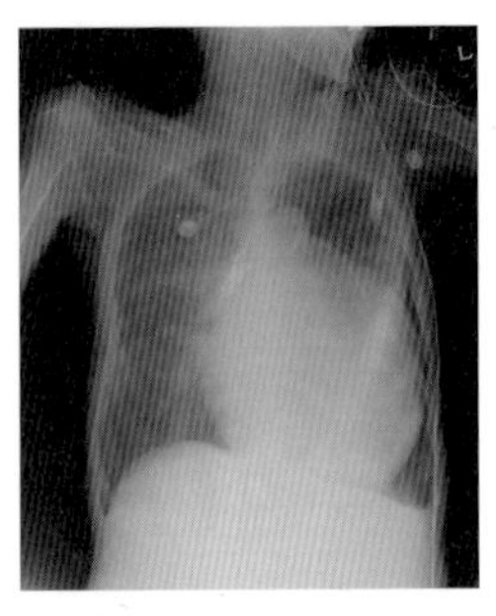

심장막삼출(pericardial effusion)

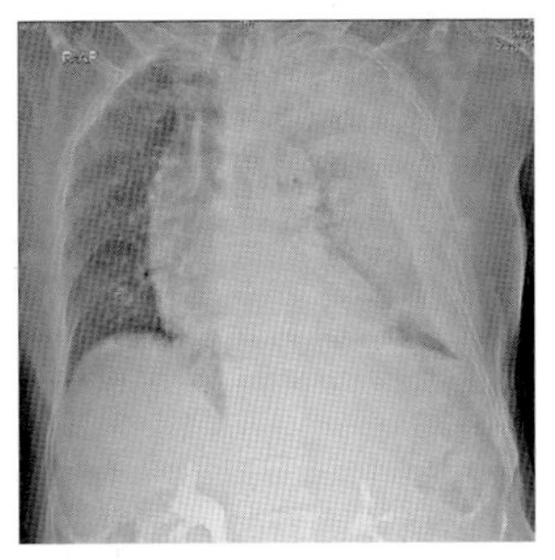

혈액가슴증(hemothorax)-left. Trauma Hx(+)

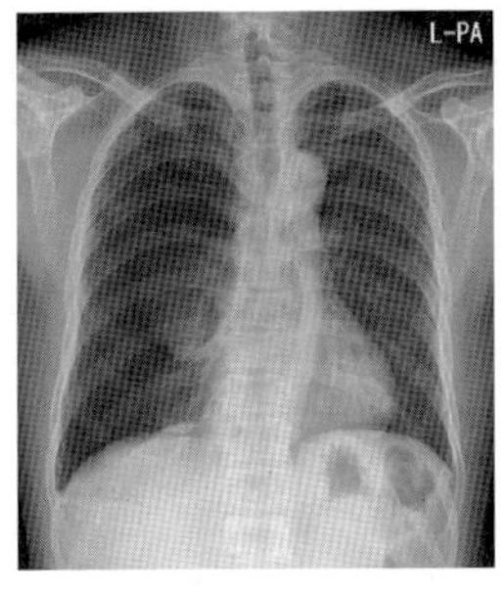

공기가슴증(pneumothroax)-right

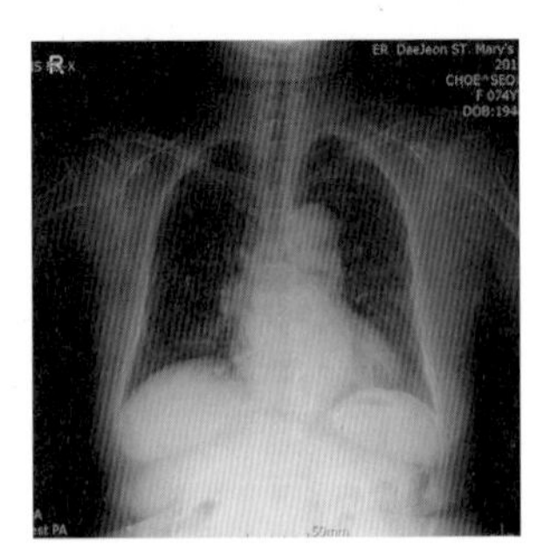

대동맥류
(aortic aneurysm)

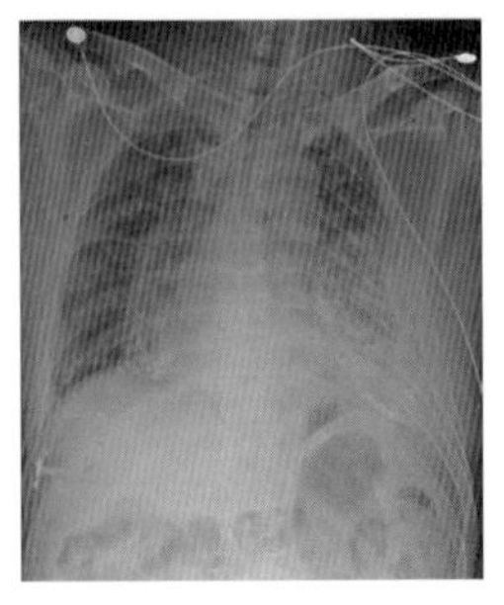

결핵후 폐손상
(tuberculosis destroyed lung)

** Pneumothorax는 누운상태에서 Chest AP로 촬영하게 되면 공기가 위로 떠서 흉막과 흉벽사이의 빈 공간이 잘 보이지 않고, 병변이 발생한 폐가 반대쪽에 비해 커진(팽창) 소견이 보인다. Pneumothorax의 양이 적은 경우 구별이 거의 불가능한 경우가 많고, Chest CT 촬영 후 발견하기도 한다. 이 경우 초음파검사가 도움이 될수 있다.*

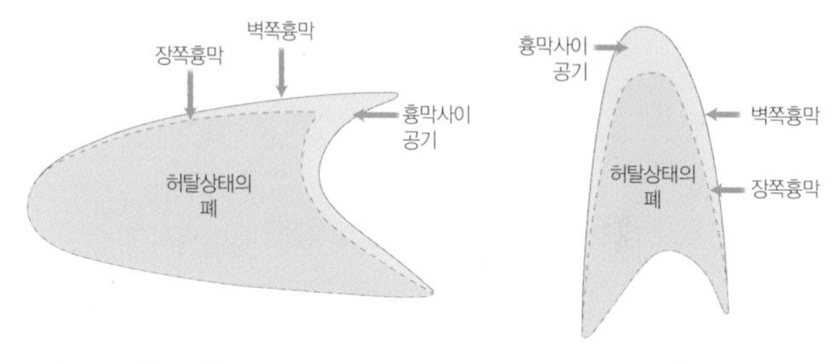

그림 3-2 공기가슴증발생시 누워있을 때와 서있을 때와 누워있을 때 흉막사이 공기의 위치

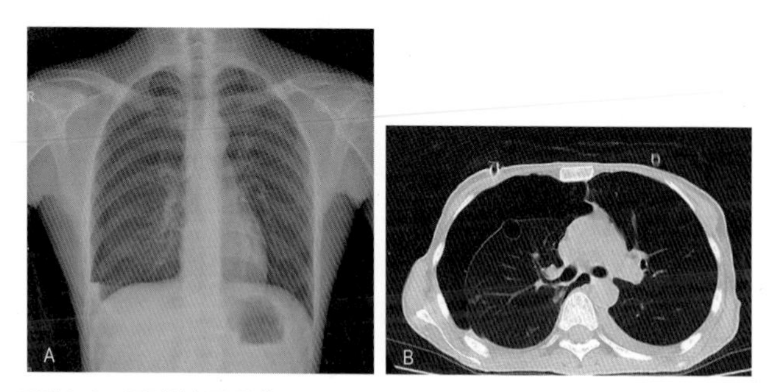

그림 3-3 공기가슴증.우측(Pneumothorax.right) **A.** Chest PA **B.** Chest CT

3 복부단순촬영 (Plain/Simple Abdomen X-ray)

1) 종류

복부 단순 X-ray 사진은 조영제나 특수조작을 하지 않고 촬영한 복부의 X-선 사진으로 simple (plain) abdomen이라고 한다. 복부 X-선 촬영 시 소변을 본 후 촬영하는 경우가 있는데, 배뇨하지 않고 찍을 경우 충만된 방광 음영이 골반강내의 종괴(mass)나 액체로 보이기 때문이다.

– Simple Abdomen: supine and erect (upright)

- **supine abdomen과 erect abdomen의 구별**
  환자의 좌측 diaphragm 바로 아래에 air–fluid level이 보이면 erect abdomen, gastric rugae에 의해 지렁이처럼 구불구불한 세로방향의 band가 나타나면 supine abdomen이다.

– KUB (Kidney Ureter Bladder)

supine and erect abdomen은 반드시 diaphragm의 포함되어야 한다는 점에서 KUB와 다르다. 즉, KUB는 복부단순촬영보다 아래부분을 촬영해야 한다.

– KUB와 유사하지만 구분해야 하는 것으로 IVP(Intravenous pyelogram)가 있다.

KUB상 kidney, ureter, bladder 가 잘 나타나지 않으므로 정맥을 통해 조영제 주사 직후, 5분, 10분, 15분, 30분 등 시간 순으로 촬영하여, Kidney, collecting system, ureter, bladder의 영상을 순차적으로 얻는 것으로 비뇨기과 영역에서 많이 쓰인다.

2) 정상 소견

성인의 소장에는 gas가 별로 없지만, stomach, duodenum과 ileum 말단

에는 gas가 나타날 수 있고, 대장에는 gas, feces가 나타날 수 있다.

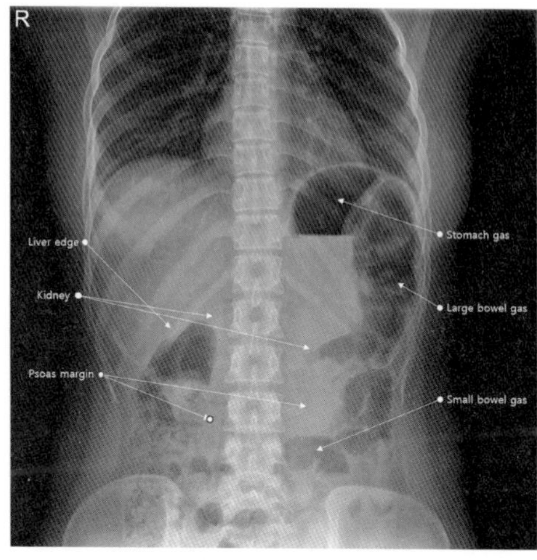

그림 3-4 복부 장기와 장내 가스 음영(Erect abdomen)

3) 비정상 소견

(1) 횡격막격막탈장(Diaphragmatic Hernia)

횡격막(diaphragm)의 파열된 부위로 복강내 장기가 통과하여 흉곽내 위치하는 것을 볼 수 있다. 해부학적 구조상 오른쪽보다 왼쪽 횡격막에서 잘 일어난다.

- Traumatic Hernia: 특징적으로 횡격막 주위 갈비뼈 골절이 흔히 동반됨
- Morgagni's Hernia: 복장뼈(Sternum) 뒤의 Hernia
- Bochdalek's Hernia: 척추(Vertebrae) 양쪽의 Hernia

(2) 공기복막증(Pneumoperitoneum)

복막강 내에는 장의 내부를 제외하고는 정상적으로 유리 공기(free gas)

가 존재하지 않으며 보일 경우 공기복막증이라 하고, 소화성궤양의 천공(peptic ulcer perforation)에 의한 경우가 가장 흔하다. 그 외 복부수술(laparotomy), 내시경시술(laparoscopy), 복막투석(peritoneal dialysis)후 에도 관찰할 수 있다.

공기가슴증(pneumothorax)와 마찬가지로 기립자세에서 촬영한 erect abdomen에서 주로 우측 횡격막 아래 초승달 모양의 까만 공기 음영이 나타나며, CT에서 가장 쉽게 진단이 가능하다.

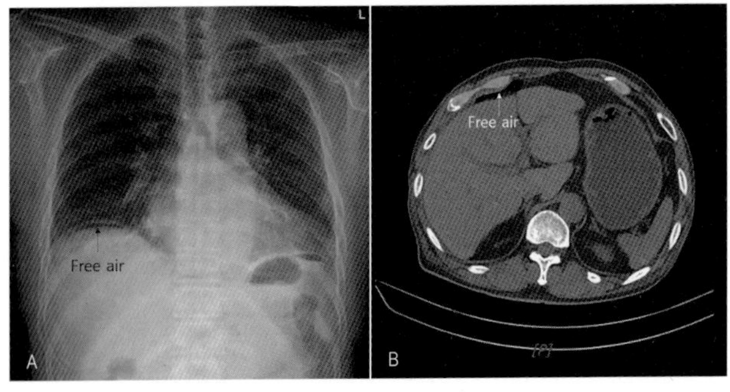

그림 3-5 공기복막증(Pneumoperitoneum). **A.** Erect abdomen **B.** Abdominal CT

(3) 복수(Ascites)

심한 복수가 있는 경우 다량의 유리 액체(free fluid)로 인해

- 복부 전체가 뿌옇게 보임(ground-glass appearance)
- 양측 복벽이 개구리 배처럼 팽만(frog-belly appearance)
- 복부중앙에 intestinal loop가 떠있음(floating of intestinal loop)
- 장 루프(intestinal loop)의 확장(widening of intestinal loop)
- 복강내 장기음영이 잘 안 보임(hepatic angle sign)

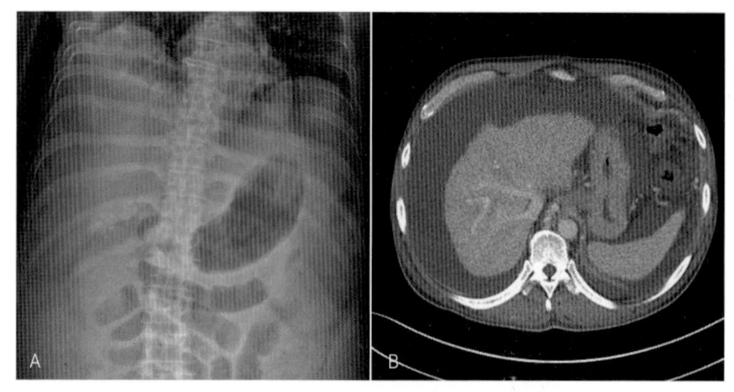

그림 3-6 복수(ascites). **A.** Supine abdomen **B.** Abdominal CT

(4) 장폐색증(Ileus)

가. 마비장폐색증(Paralytic ileus)

주로 복막염, 개복수술 후 또는 쇼크, 복부 타박상 등의 원인으로 장관의 운동마비에 의해 연동운동 소리가 들리지 않는 것이 특징적이다.

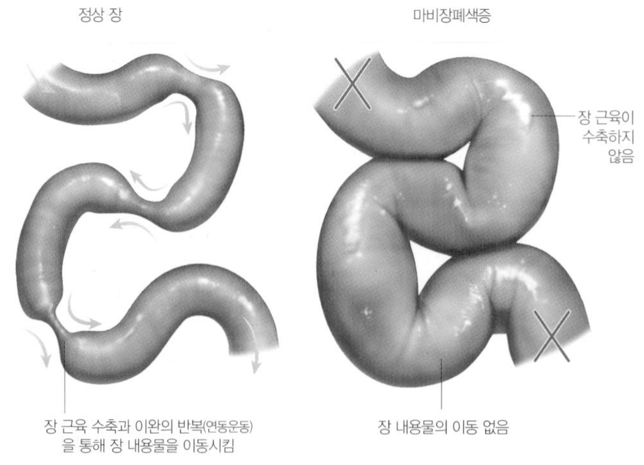

그림 3-7 정상 장과 마비장폐색증시의 장 운동

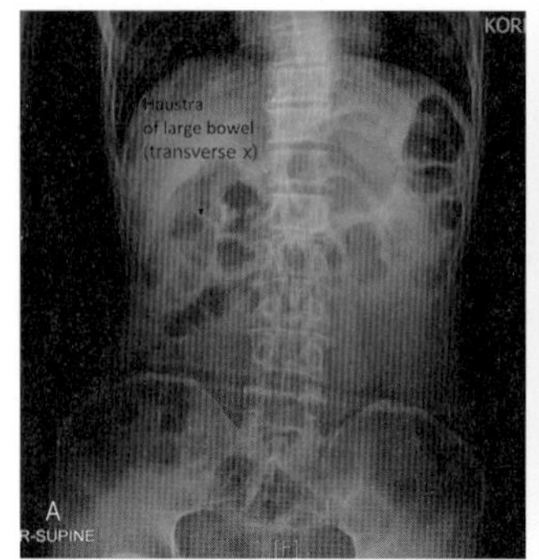

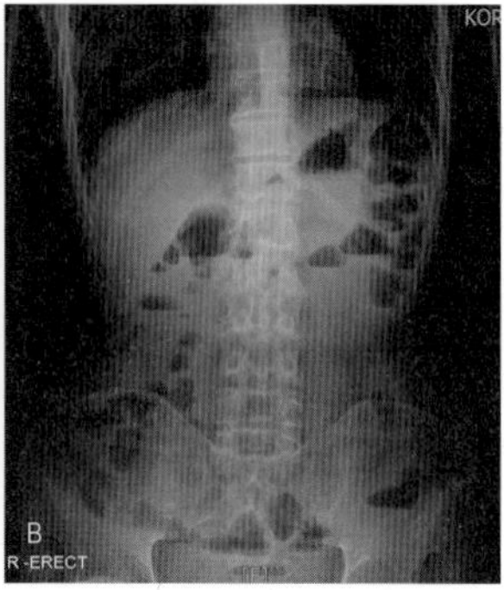

그림 3-8 마비장폐색증(Paralytic ileus) **A.** Supine abdomen **B.** Erect abdomen

 # 방사선 소견

가) 위장, 소장, 대장이 가스(gas)에 의해 모두 확장

나) 장 루프(intestinal loop)는 길게 보이며 공기액체층(air-fluid level)도 길게 나타남

다) supine view와 erect view가 비슷

라) 복수 의심 소견이 보일 수 있음

나. 장폐쇄(intestinal obstruction)

주로 장관의 유착(adhesion), 복막 띠(peritoneal band)에 의해 발생한다.

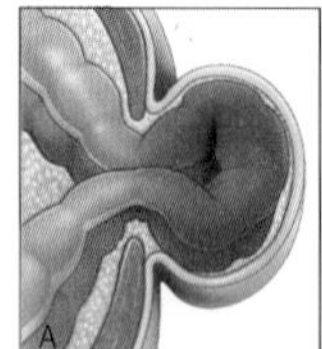

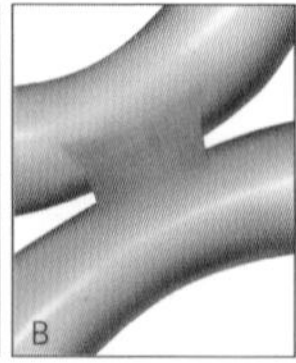

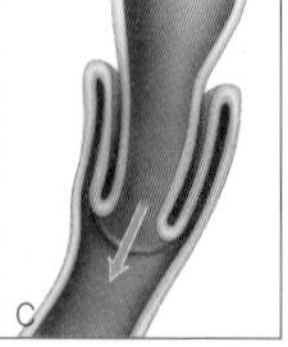

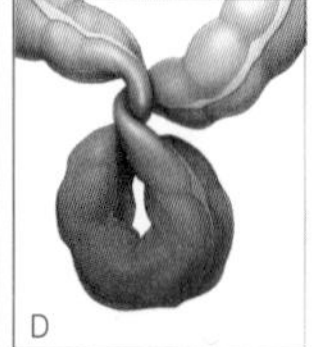

그림 3-9 장폐쇄의 흔한 원인 **A.** 감금(incarceration) **B.** 유착(adhesion) **C.** 장중첩(intussusception) **D.** 장꼬임(volvulus)

 # 방사선학적 소견

가) 폐쇄 부위의 근위부가 가스와 액체에 의해 확장

나) 폐쇄부위의 원위부 장, 특히 직장 내에 가스, 대변 음영이 보이지 않음

다) 뒤집힌 U 모양의 장 루프

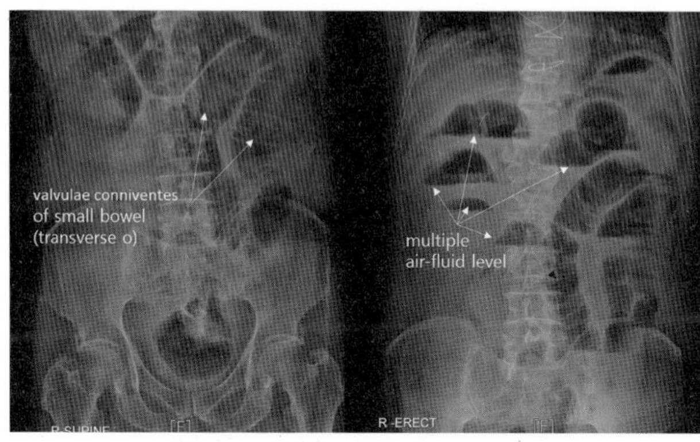

그림 3-10 장폐쇄(intestinal obstruction) **A.** Supine abdomen **B.** Erect abdomen

(5) 대동맥류(Aortic aneurysm)

응급실에서는 대동맥박리(Aortic dissection)가 동반되어 내원하는 경우가 많다.

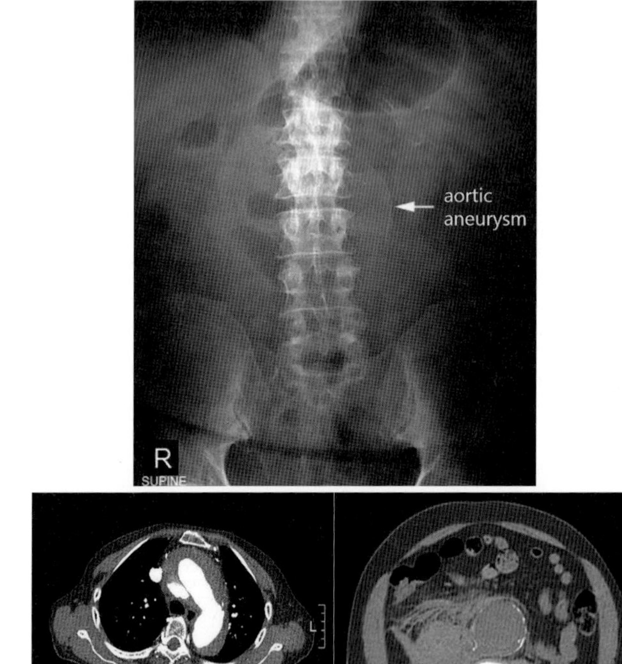

그림 3-11 흉부 대동맥과 복부 대동맥에 발생한 박리대동맥류(Dissecting Aneurysm) **A.** Supine abdomen **B.** Chest & Abdomen CT

4 CT와 MRI

CT와 MRI는 병원에 내원한 환자들의 진단과 치료의 지침을 결정하는데 매우 중요한 역할을 하고 있다. 여기에서는 CT와 MRI 영상을 이해하는데 반드시 알고 있어야할 기본적인 사항만을 정리했다.

1) 컴퓨터전산화 단층 촬영(Computed Tomography, CT)

컴퓨터에 의해 인체 조직내 작은 부분들의 흡수계수를 계산하여 영상을 만들며, 조영제 증강(contrast enhancement, CE)을 통해 혈관구조를 볼 수 있다. 또한 Hounsfield Unit (HU)를 조정하여, 원하는 부위를 더 잘 보이게 조절가능한데, 예를 들어 가슴의 폐실질을 잘 보이게 또는 가슴 골격과 심장 및 대혈관을 잘 보이게 영상을 얻을 수 있다.

 # CT number, Hounsfield Unit (HU)

White ↑	bone	+1000
	liver	60
	gray matter	35
	white matter	25
	water	0
	fat	−100
Black ↓	air	−1000

(1) 정상 뇌 컴퓨터전산화단층촬영 (Normal Brain CT)

Brain CT는 촬영하는 간격에 따라 달라지지만 보통 수십장의 영상으로 구성되며, 조영제 증강이나 골격구조를 보기위한 bone setting 등이 추가시 그만큼 더 늘어난다. 모든 영상을 살펴야 하지만 그중 6위치의 영상은 꼭 확인해야 한다.

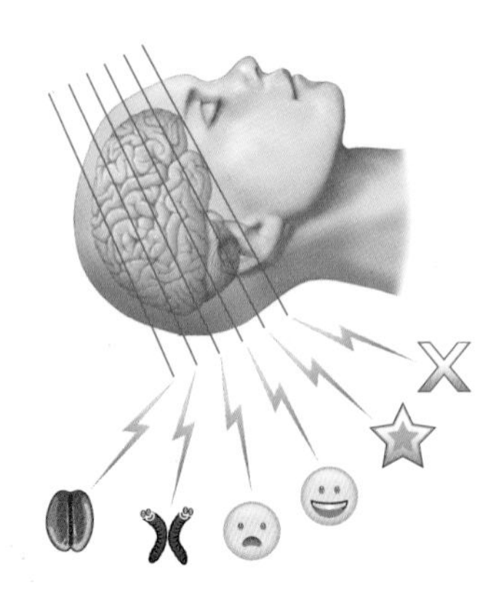

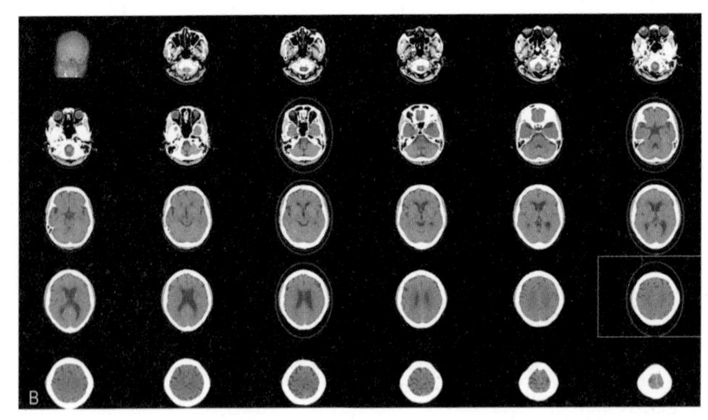

그림 3-12 A. 미리보기영상(Scout view)의 모식도, B. 정상 뇌 CT와 6개의 주요 영상

표 3-2 정상 Brain CT와 해부학

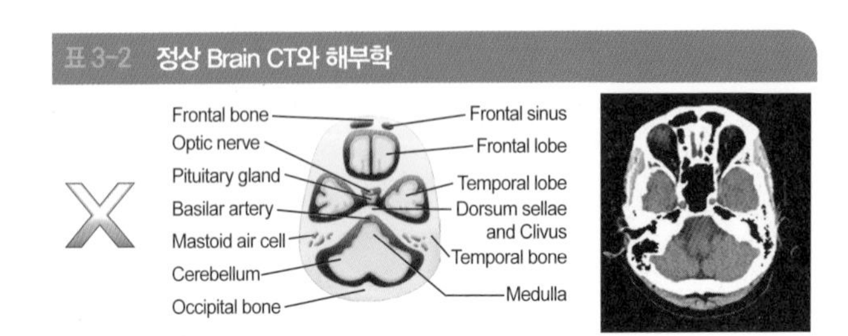

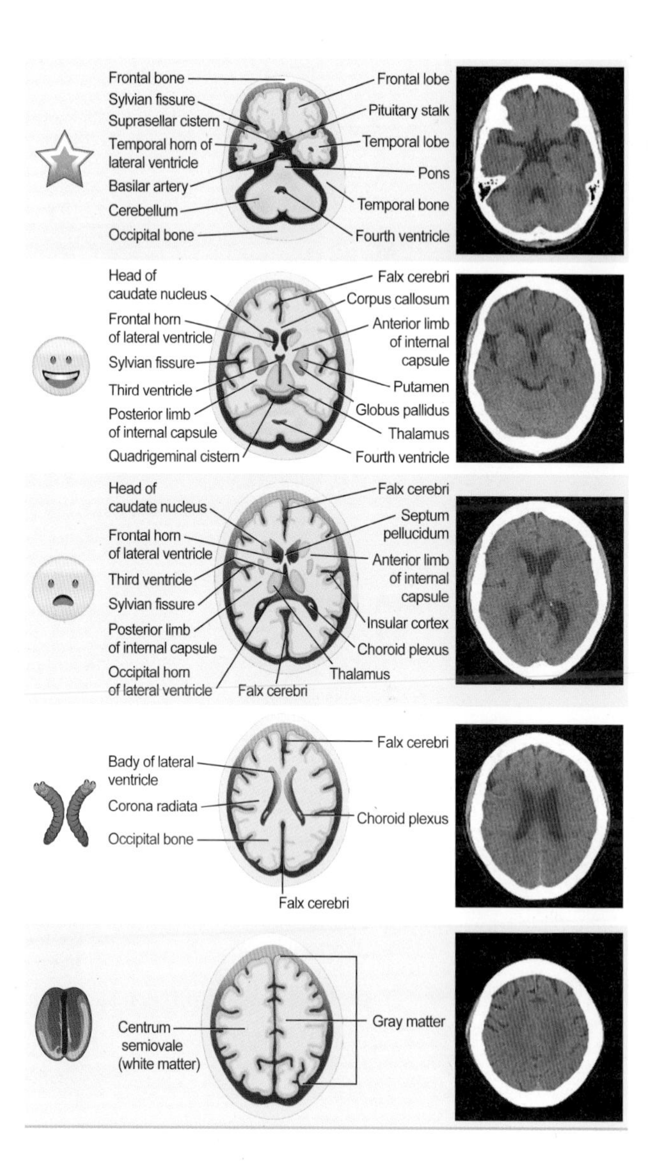
Frontal bone
Sylvian fissure
Suprasellar cistern
Temporal horn of lateral ventricle
Basilar artery
Cerebellum
Occipital bone
Frontal lobe
Pituitary stalk
Temporal lobe
Pons
Temporal bone
Fourth ventricle
Head of caudate nucleus
Frontal horn of lateral ventricle
Sylvian fissure
Third ventricle
Posterior limb of internal capsule
Quadrigeminal cistern
Falx cerebri
Corpus callosum
Anterior limb of internal capsule
Putamen
Globus pallidus
Thalamus
Fourth ventricle
Head of caudate nucleus
Frontal horn of lateral ventricle
Third ventricle
Sylvian fissure
Posterior limb of internal capsule
Occipital horn of lateral ventricle
Falx cerebri
Falx cerebri
Septum pellucidum
Anterior limb of internal capsule
Insular cortex
Choroid plexus
Thalamus
Bady of lateral ventricle
Corona radiata
Occipital bone
Falx cerebri
Choroid plexus
Falx cerebri
Centrum semiovale (white matter)
Gray matter

(2) 정상 복부 컴퓨터전산화단층촬영 (Normal Abdominal CT)

정상 복부CT의 해부학적 구조물을 먼저 익혀두도록 한다. 위에서부터 아래로 내려가는 단면 영상이다.

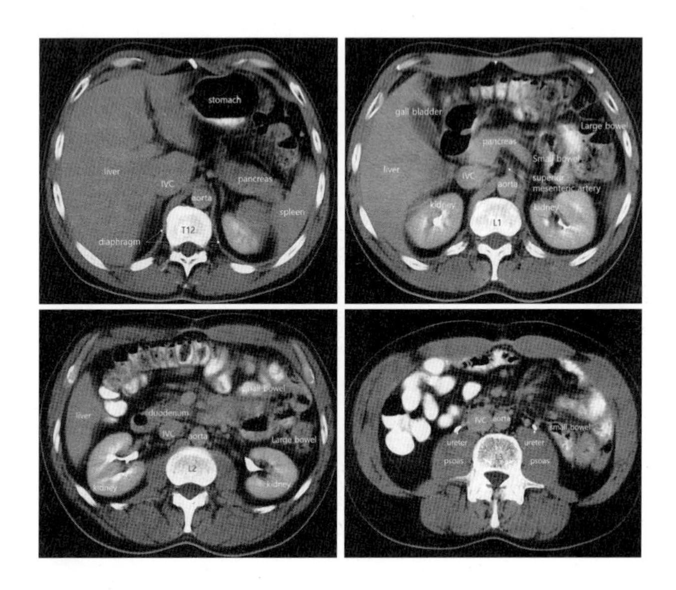

(3) CT에서 흔히 관찰되는 소견들

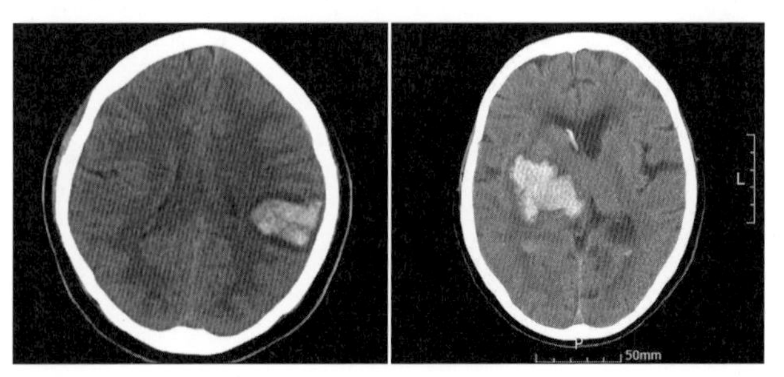

뇌내출혈(intracerebral hemorrhage, ICH) - small size

뇌내출혈(intracerebral hemorrhage, ICH) - large size with herniation

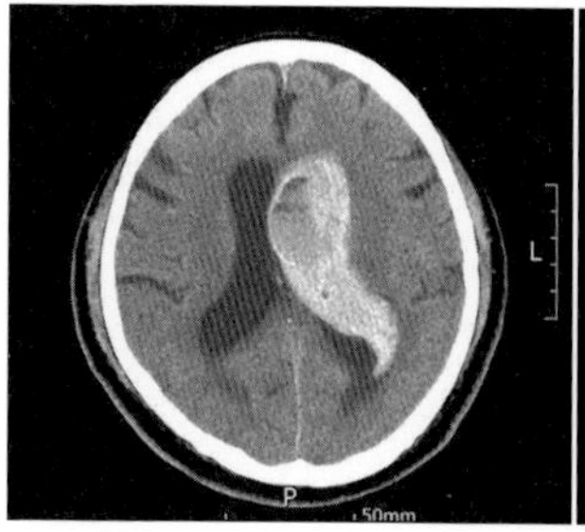

뇌실내출혈(intraventricular hemorrhage, IVH)

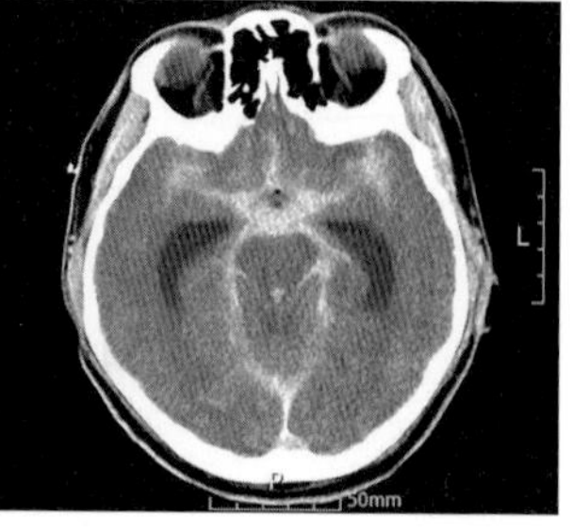

지주막하 출혈(subarachnoid hemorrhage, SAH)

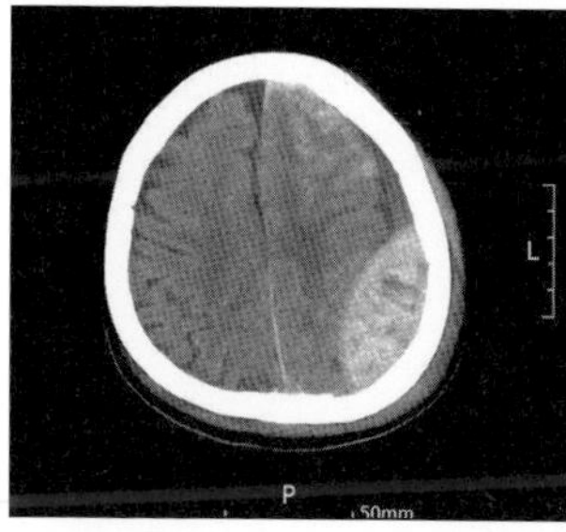

경막외혈종(epidural hematoma, EDH)

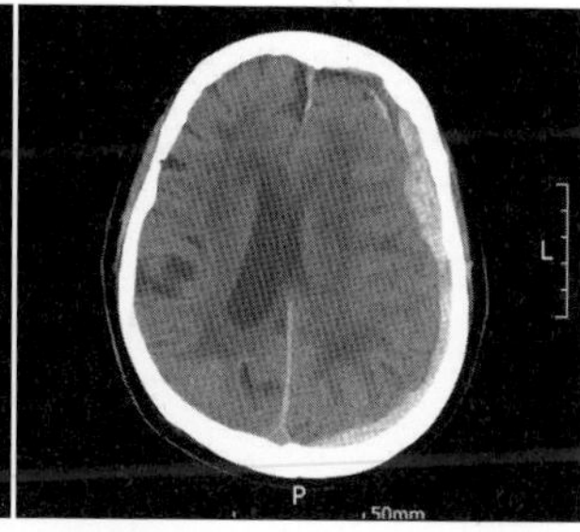

경막하혈종(subdural hematoma, SDH)

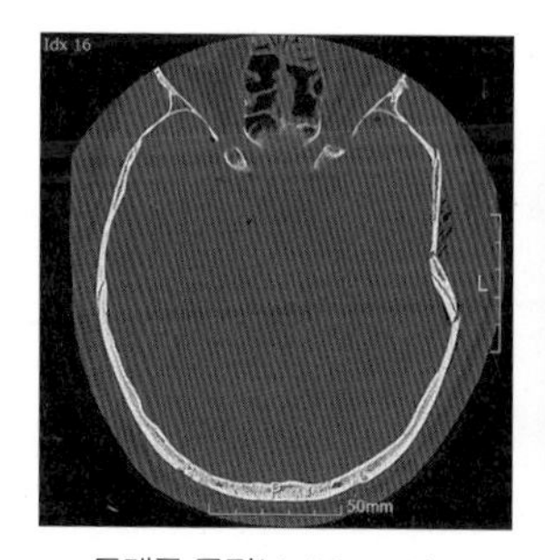

두개골 골절(skull fracture) - comminuted

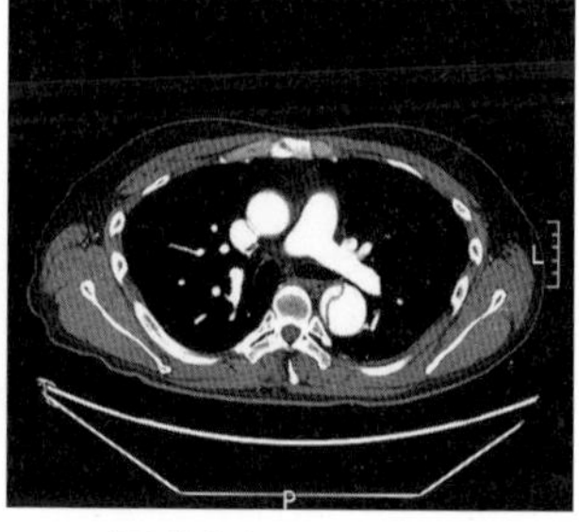

대동맥박리(aortic dissection)

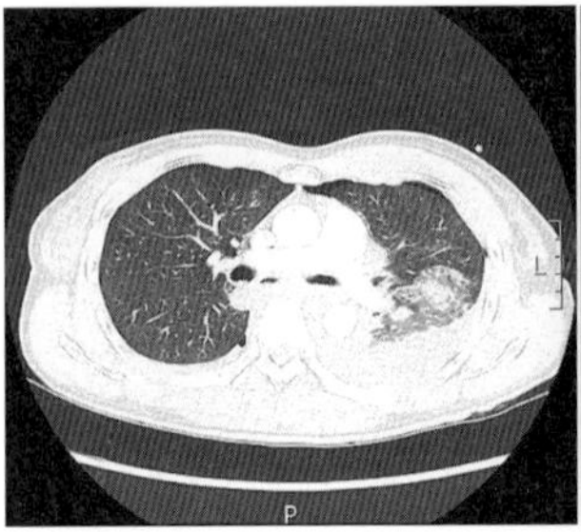

혈액기흉(hemopneumothorax)
폐좌상(pulmonary contusion)

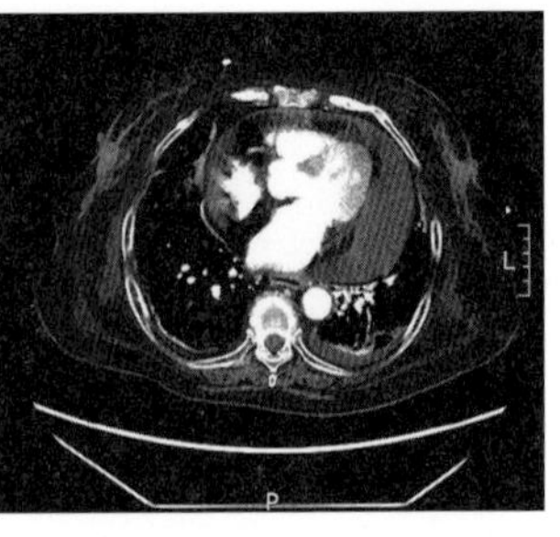

심장막삼출(pericardial effusion)

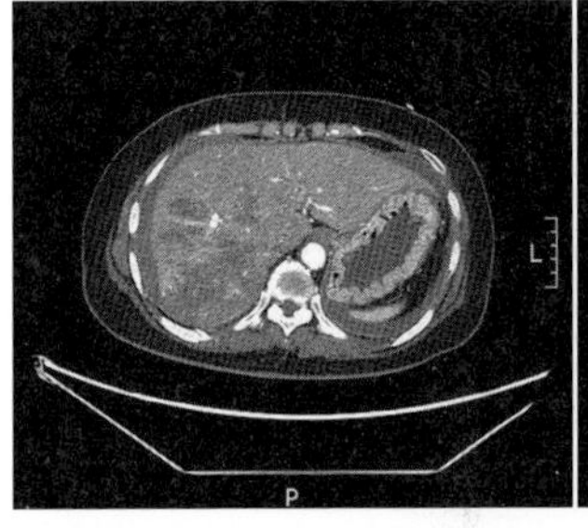

간파열(liver rupture)에 의한 혈액복막
(hemoperitoneum)

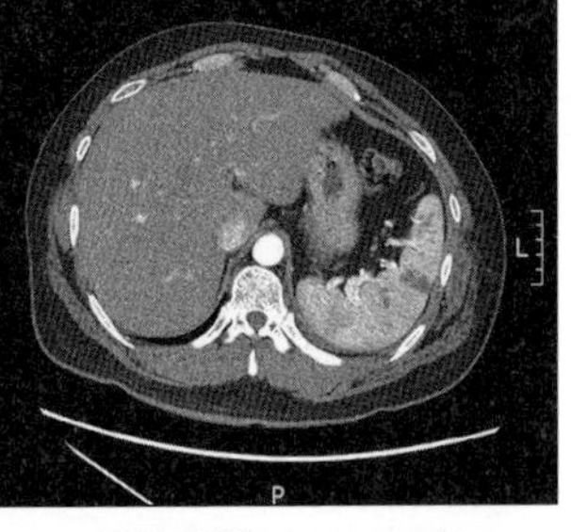

비장 파열(spleen rupture)

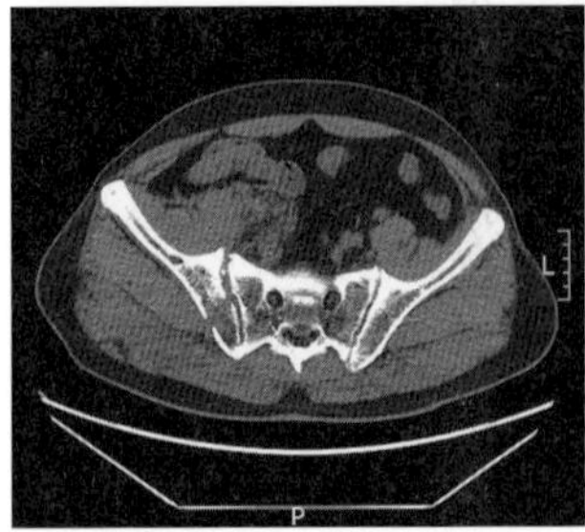

골반골절(pelvic bone fracture)과
혈액후복막강(Hemoretroperitoneum)

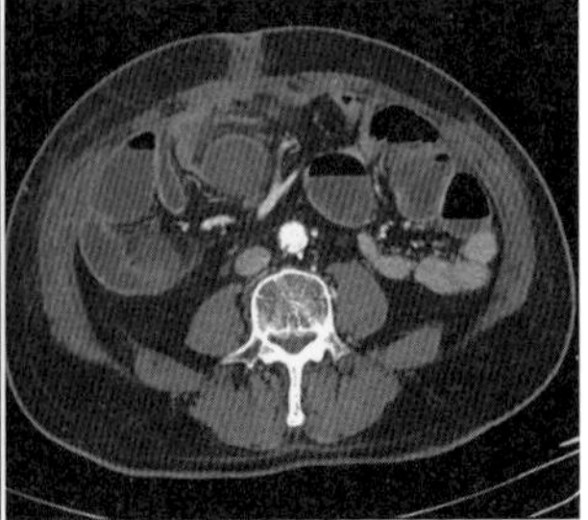

소장폐쇄 (small bowel obstruction)

2) 자기공명영상(Magnetic Resonance Imaging, MRI)

자력을 이용하여 조직에 분포되어 있는 수소이온 또는 물 분자로부터의 신호를 계산하여 영상화를 하며, CT보다 연부조직을 잘 관찰할 수 있고, 방사선 노출의 위험이 없다는 장점이 있지만, 인체내 철 등 자성에 의해 영향받는 것이 없어야 하며 CT보다 시간이 좀 더 소요된다.

(1) T1, T2 강조영상(T1, T2 weighted image)

MRI 영상의 기본 유형은 T1 강조 영상과 T2 강조 영상이 있고, 짧게 T1, T2 영상라고도 한다. 영상을 만드는데 사용되는 자기공명신호의 강도 차이로 인해 T1 영상에서는 지방이 밝게(하얗게, high signal), 수분이 어둡게(low signal) 보이고, T2 영상에서는 지방과 수분 모두 밝게 보인다. Brain MRI에서 뇌실내 뇌척수액이 밝게, 하얗게 보이는 경우 T2 영상임을 빠르게 구별할 수 있다.

표 3-3 T1, T2 영상의 차이

	High signal		Low Signal
T1 weighted	White matter	Grey matter	CSF
T2 weighted	CSF	Grey matter	White matter

(2) 자기공명 혈관영상(Magnetic Resonance Angiography, MRA)

자기공명뇌혈관조영술(MRA)은 혈관의 이상을 식별하기 위해 사용된다. 전통적인 혈관조영술(angiography)보다 덜 침습적이고, 방사선을 사용하지 않으며, 혈관내 조영제 주입이 필요할 수 있으나 CT 촬영시의 조영제 알러지 반응보다 적은 것으로 보고되고 있다.

(3) 확산 강조 자기공명영상(Diffusion weighted MRI)

응급실에서 뇌졸중 감별을 위해 자주 촬영하는 영상으로 확산 강조 자기공명영상이 있다. 인체 내 물분자들의 자기확산정도를 영상화 한 것이며, 기존 영상으로 구별이 어려운 초기 뇌경색의 진단에 유용하고, 촬영시간도 짧다. 뇌경색 부위에서 물분자의 확산을 보는 ADC (apparent diffusion coefficient)가 떨어지며 어둡게(low signal)보이는 ADC 영상, 반대로 밝게(high-signal)로 보이는 B1000영상이 대표적이며, 그 외 B0 이미지, 경사에코(Gradient echo)이미지 등이 있다. B1000 이미지가 시각적으로 가장 직관적인 편이다.

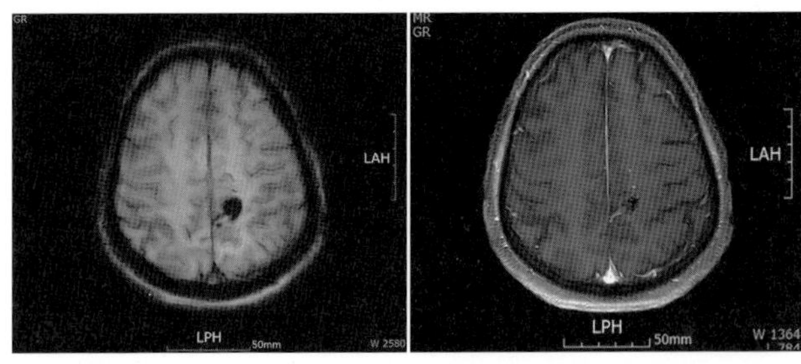

T1 강조영상(T1 weighted image) T2 강조영상(T2 weighted image)

** LAH: left anterior hippocampus, * LPH: left posterior hippocampus*

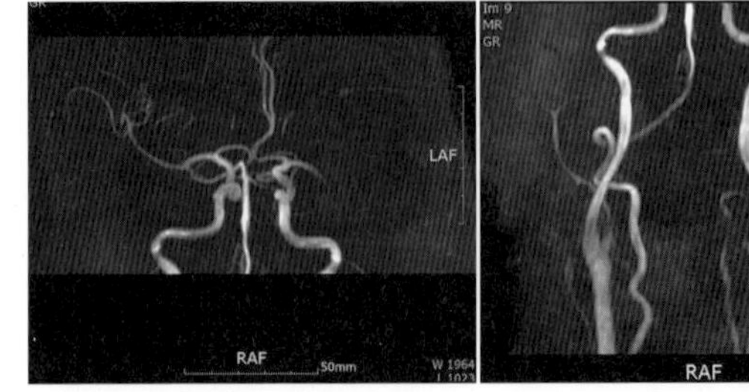

자기공명 혈관영상(MRA) - left middle cerebral a. 폐쇄 자기공명 혈관영상(MRA) - left vertebral a. 폐쇄

** LAF: left anterior frontal, * RAF: right anterior frontal*

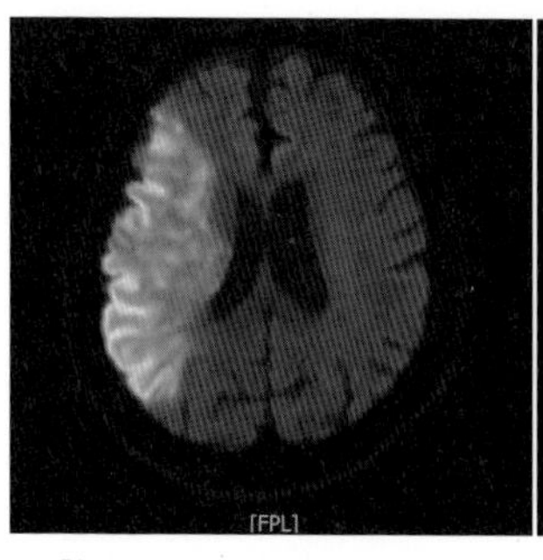

확산 강조 자기공명영상(Diffusion weighted MRI) - B1000

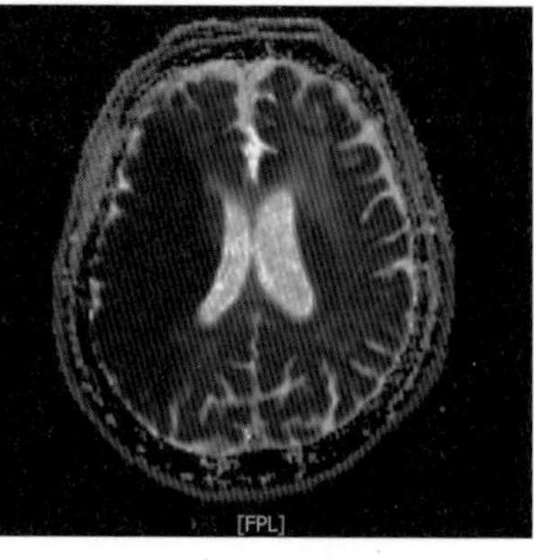

확산 강조 자기공명영상(Diffusion weighted MRI) - ADC

환자를 파악하는데 의미 없는 정보는 없다.

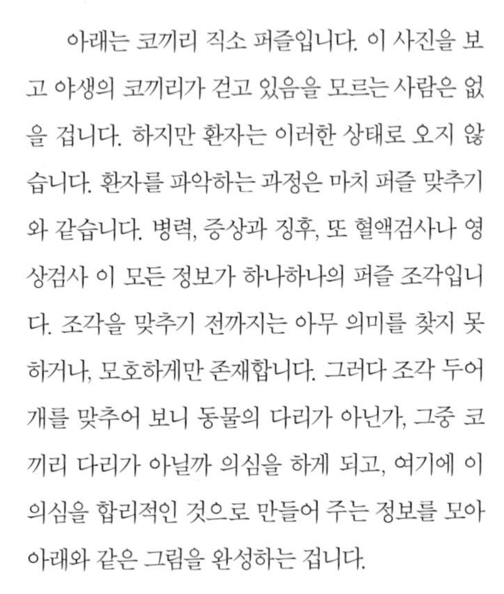

아래는 코끼리 직소 퍼즐입니다. 이 사진을 보고 야생의 코끼리가 걷고 있음을 모르는 사람은 없을 겁니다. 하지만 환자는 이러한 상태로 오지 않습니다. 환자를 파악하는 과정은 마치 퍼즐 맞추기와 같습니다. 병력, 증상과 징후, 또 혈액검사나 영상검사 이 모든 정보가 하나하나의 퍼즐 조각입니다. 조각을 맞추기 전까지는 아무 의미를 찾지 못하거나, 모호하게만 존재합니다. 그러다 조각 두어 개를 맞추어 보니 동물의 다리가 아닌가, 그중 코끼리 다리가 아닐까 의심을 하게 되고, 여기에 이 의심을 합리적인 것으로 만들어 주는 정보를 모아 아래와 같은 그림을 완성하는 겁니다.

부분적으로 환자를 파악한 것과 조각을 거의 다 맞춘 그림처럼 환자를 파악하는 것에는 당연하게도 매우 큰 차이가 있습니다.

임상 실습을 나가게 되면, 의무기록 안에 수많은 정보의 홍수를 마주합니다. 하지만 중요도의 차이는 있을 수 있어도, 의미가 없는 정보는 없습니다. 우리가 그 의미를 모르는 것뿐이지요. 환자의 사례를 보고하기 위해 자기가 관찰했던 환자의 내원부터 전 과정, 그리고 의무기록과 진단 검사들. 이 모든 정보를 하나하나 맞추어 보는 훈련을 하셔야 합니다. 처음에는 빠뜨린 조각이 없는지 책과도 대조해보고 조각 하나하나가 가진 정보의 의미를 파악하시기 바랍니다. 그리해서 큰 퍼즐을 완성하면 환자가 매우 선명하게 보이고, 무엇을 해야 할지 의사결정과 판단이 적절하게 이루어집니다. 환자 사례를 발표하는 경우에는 당연히 청자들도 환자를 선명하게 파악하고, 발표에 몰입할 것입니다. 의무기록을 그대로 옮기는 식으로 정보를 단순히 나열만 하시면 중요한 훈련의 기회를 놓치게 됩니다.